OD ISTOG PISCA

Dnevnik jednog čarobnjaka
Alhemičar
Brida
Anđeo čuvar
Na obali reke Pjedre sedela sam i plakala
Peta gora
Veronika je odlučila da umre
Đavo i gospođica Prim
Jedanaest minuta
Priručnik za ratnika svetlosti
Zahir
Veštica iz Portobela
Pobednik je sam
Alef
Rukopis otkriven u Akri
Preljuba

PAULO KOELJO

Maktub

Prevela s portugalskog
Jasmina Nešković

Laguna

Naslov originala

Paulo Coelho
MAKTUB

Copyright © 1994, by Paulo Coelho
This edition was published by arrangement with Sant Jordi
 Asociados Agencia Literaria S.L.U., Barcelona, Spain.
 All rights reserved.

http://paulocoelhoblog.com/

Translation copyright © ovog izdanja 2015, LAGUNA

Kupovinom knjige sa FSC oznakom
pomažete razvoj projekta odgovornog
korišćenja šumskih resursa širom sveta.
SW-COC-001767
© 1996 Forest Stewardship Council A.C.

Za Teta Šiku, Patrisiju Kaze, Edinja i Alsina Leita Neta

*O Marija,
začela bez greha,
moli se za nas koji se u tebe uzdamo.*

Hvalim te, Oče, što si ovo sakrio
Od premudrijeh i razumnijeh, a kazao si prostima.
Jevanđelje po Luki, 10: 21

Pre početka

Maktub nije knjiga saveta – već razmena iskustava.

Najvećim delom je sastavljena od pouka moga učitelja, koje sam primio od njega tokom jedanaest godina našeg druženja. Drugi zapisi su svedočanstva mojih prijatelja, ili osoba s kojima sam se samo jednom u životu sreo – ali su mi ostavile nezaboravne poruke. Naposletku, tu su i knjige koje sam čitao i priče koje – kao što kaže jezuita Entoni Melo – pripadaju duhovnoj baštini čovečanstva.

Neposredni podsticaj za nastanak *Maktuba* bio je telefonski poziv Alisina Leijtea Neta, tadašnjeg urednika ilustrovanoga dodatka lista *Folja de S. Paulo*. Boravio sam tada u Sjedinjenim Državama, i primio predlog ne znajući tačno o čemu bih pisao. Ali izazov je bio podsticajan, i rešio sam da prihvatim jer živeti znači izlagati se rizicima.

Kad sam uvideo koliko to truda iziskuje, umalo nisam odustao. Povrh svega, pošto sam morao da putujem po unutrašnjosti na promocije svojih knjiga, dnevna kolumna postala je za mene prava mora. Međutim, znakovi su mi govorili da nastavim: stiglo bi poneko pismo čitalaca, pohvalni komentar nekog prijatelja, neko bi pokazao isečke iz novina koje čuva u novčaniku.

Malo-pomalo, naučio sam da budem objektivan i otvoren u tekstovima. Bio sam prinuđen da ih ponovo čitam, što sam stalno odlagao, ali sam silno uživao u tom ponovnom susretu sa svojim napisima.

Počeo sam pažljivije da beležim reči svoga učitelja, da bih na kraju sve oko sebe doživljavao kao povod za pisanje *Maktuba*– i to me je toliko obogatilo da sam danas zahvalan zbog tog svakodnevnog zadatka.

Izabrao sam, u ovoj knjizi, zapise objavljivane u *Folja de S. Paulo*, od 10. juna 1993. do 11. juna 1994. Kolumne o ratniku svetlosti nisu uvrštene u ovu knjigu: objavljene su u *Priručniku za ratnika svetlosti*.

U predgovoru za jednu od svojih knjiga priča, Entoni Melo primećuje: „Moj zadatak se svodio na posao tkača, nemam nikakve zasluge za potku i pređu."

Ni ja, takođe.

PAULO KOELJO

MAKTUB

Putnik sedi usred šume i gleda jednu skromnu kuću pred sobom. Boravio je tu i ranije, s nekim prijateljima, i jedino što je tada uspevao da primeti bila je sličnost između izgleda kuće i stila jednog španskog arhitekte – koji je živeo pre mnogo godina, a nikad nije kročio na ovo mesto.

Kuća se nalazi u Kabo Friju, u Rio de Žaneiru, i cela je sagrađena od staklića. Njen vlasnik Gabrijel usnio je 1899. jednog anđela koji mu je rekao: „Sagradi kuću od krhotina." Gabrijel je počeo da sakuplja razbijene pločice, tanjire, polupane ćupove i krčage. „Svaka krhotina u lepotu preobražena", govorio je Gabrijel o svome poslu. Prvih četrdeset godina žitelji obližnjih mesta smatrali su ga ludim. Kanije, neki turisti su otkrili kuću i počeli tu da dovode svoje prijatelje. Gabrijel postade genije. Ali čar novine je prošla – i Gabrijel se vratio u anonimnost. Bez obzira na to, nastavio je da gradi; sa devedeset i tri godine postavio je poslednji staklić. I umro.

Putnik pripaljuje cigaretu, puši u tišini. Danas ne misli o sličnosti između Gabrijelove kuće i arhitekture A. Gaudija. Posmatra kuću i razmišlja o svojoj egzistenciji. I ona je – kao i život bilo koje osobe – sazidana od komadića svega onog što je prošlo. Ali, u određenom trenutku, ti odlomci počinju da dobijaju oblik.

I putnik se priseća delova svoje prošlosti, gledajući rukopise koje je nosio o ramenu. Tu se nalaze komadići njegovog života : situacije koje je proživeo, izvodi iz knjiga koji su mu se zauvek urezali u pamćenje, pouke njegovog učitelja, priče prijatelja, dogodovštine koje su nekada prepričavali. Tu su i razmišljanja o njegovom vremenu, o snovima njegove generacije.

Isto onako kao što je jedan čovek sanjao anđela i podigao kuću od krhotina, koja se sad nalazi pred njim, i on pokušava da sredi svoje papire – da bi shvatio svoju vlastitu duhovnu konstrukciju. Seća se da je, kao dete, pročitao jednu knjigu Malba Tahana zvanu *Maktub!* i misli:

„Možda bih i ja morao isto to da uradim?"

Učitelj kaže:
Kad predosetimo da je kucnuo čas za promenu, počinjemo – nesvesno – da premotavamo traku koja prikazuje naše dotadašnje poraze.

Naravno, što smo stariji zbir naših teških trenutaka biva sve veći. Ali, u isto vreme, iskustvo nam pruža sredstva da prevaziđemo te poraze i pronađemo put kojim ćemo moći nastaviti dalje. Treba i tu traku da ubacimo u našu mentalnu video-kasetu.

Ako gledamo samo traku sa porazima, ostaćemo paralisani. Ako gledamo samo traku iskustva, na kraju ćemo umisliti da smo mudriji nego što zaista jesmo.

Neophodne su nam obe trake.

Zamislite jednu gusenicu. Najveći deo života provodi na zemlji, gledajući ptice, zgrožena svojom sudbinom i izgledom. „Ja sam najbednije od svih stvorenja", misli ona. „Ružna, odvratna, osuđena da gamižem po zemlji."

Međutim, jednoga dana Priroda zatraži od nje da napravi čauru. Gusenica se uplaši – nikada ranije nije pravila čauru. Pomišlja da time sama sebi pravi grob i sprema se da umre. Iako se gnušala svog dotadašnjeg života, ponovo se požalila Bogu.

„Kad sam se napokon privikla, gospod mi oduzima i ono malo što imam."

Sva očajna, zatvara se u čauru i čeka svoj kraj.

Posle nekoliko dana vidi sebe preobraženu u prekrasnog leptira. Može da leti nebom, praćena ljudskim divljenjem. Začuđena, ne može da shvati smisao života i Božje promisli.

Neki stranac potraži opata Pastora u manastiru u Sketi.
– Želim da poboljšam svoj život – reče mu on.
– Ali ne ispevam da se oslobodim grešnih misli.

Opat Pastor primeti da napolju duva i zamoli stranca:
– Ovde je veoma toplo. Da li biste mogli da uhvatite malo vetra koji napolju duva i da ga donesete ovamo, da rashladi prostoriju.

– To je nemoguće – uzvrati stranac.

– Tako isto je nemoguće odagnati bogohulne misli – odgovori opat. – Ali ako budete umeli da se suprotstavite iskušenjima, ona vam neće nimalo nauditi.

Učitelj kaže:
Ako treba doneti neku odluku, bolje je nastaviti napred i podneti posledice. Nećeš znati unapred koje će to posledice biti.

Sve proročke veštine izmišljene su da bi posavetovale čoveka, a nipošto zato da bi predviđale budućnost. One su odlične savetnice i najgore proročice.

Molitva koju nas je Isus naučio kaže: „Neka bude Volja Tvoja". A ako se pred tom Voljom ispreči neki problem, ona nosi u sebi i rešenje.

Kad bi proročka umeća uspela da vide budućnost, svaki bi prorok bio bogat, oženjen i srećan.

Učenik priđe učitelju:
 – Godinama sam tragao za prosvetljenjem – reče. – Osećam da sam blizu. Zanima me koji je sledeći korak.
 – A čime se ti izdržavaš – uputa učitelj.
 – Još nisam naučio da sam sebe izdržavam; otac i majka mi pomažu. Međutim, to su sitnice.
 – Sledeći korak ti je da gledaš u sunce pola minuta – reče učitelj.
Učenik ga posluša.
Kad je završio, učitelj ga zamoli da opiše polje koje se prostire oko njih.
 – Ne uspevam da ga vidim, sjaj sunca mi je zaslepeo oči – odgovori učenik.
 – Čovek koji traži jedino svetlost, a prepušta drugima svoje odgovornosti, neće nikada uspeti da dospe do prosvetljenja. Čovek koji netremice gleda u sunce završi kao slepac – objasni učitelj.

Hodao neki čovek dolinom Pirineja i naišao na jednog starog pastira. Podelio je s njim svoju užinu, a zatim su se dugo zadržali razgovarajući o životu.

Čovek je rekao da, ako veruje u Boga, onda bi takođe morao da veruje i da nije slobodan jer bi Bog upravljao svakim njegovim korakom.

Tada ga je pastir poveo do jednog klanca, gde se mogao čuti – savršeno jasno – odjek svakog, i najmanjeg šuma.

– Život je kao ove litice, a sudbina je krik svakog od nas – reče pastir. – Ono što činimo biće preneto pravo do Božjeg srca i vraćeno nama u istom obliku.

„Bog se obično ponaša kao odjek naših dela."

Maktub znači „pisano je". Po shvatanju Arapa, „pisano je" nije najbolji prevod – jer, iako je sve već pisano, Bog je milostiv, i trošio je svoje pero i mastilo samo zato da bi nam pomogao.

Putnik se nalazi u Njujorku. Imao je zakazan sastanak, ali se probudio kasno, a kad je sišao, otkrio je da mu je policija odnela auto.

Stigao je posle zakazanog vremena, ručak se otegao duže no što je trebalo, a on sve vreme razmišlja o kazni – koštaće ga čitavo bogatstvo. Najedanput, seti se novčanice od jednog dolara koju je našao prethodnog dana. Uspostavlja neku ludačku vezu između te novčanice i onoga što mu se tog jutra desilo. „Ko zna, možda sam uzeo novčanicu pre nego što ju je prava osoba pronašla? Ko zna nisam li sklonio taj dolar s puta nekome kome je bio neophodan? Možda sam se umešao u ono što je bilo pisano?"

Morao je da se otarasi te novčanice – i tog časa ugleda nekog prosjaka kako sedi na zemlji. Brže-bolje gurnu mu dolar.

– Samo trenutak – kaže prosjak. – Ja sam pesnik, želim da se odužim jednom pesmom.

– Samo da bude što kraća jer strašno žurim – odgovara putnik.

Prosjak kaže:

– Ako ste još uvek živi, to je zato što još niste stigli tamo gde ste morali stići.

Učenik reče učitelju:
– Proveo sam veliki deo dana misleći na stvari o kojima nisam smeo da mislim, želeći stvari koje nisam smeo da želim, praveći planove koje nisam smeo da pravim.

Učitelj pozva učenika u šetnju po šumi koja se nalazila blizu njegove kuće. Na putu pokaza na jednu biljku i upita učenika da li zna šta je to.

– Bunika – reče učenik. – Može da usmrti onoga ko pojede njeno lišće.

– Ali ne može da usmrti onoga ko je jednostavno posmatra – reče učitelj. – Na isti način, negativne želje ne mogu prouzrokovati nikakvo zlo ukoliko ne dozvoliš da te zavedu.

Između Francuske i Španije prostire se jedan planinski lanac. Na jednoj od tih planina leži selo zvano Arželeš, a u tom selu padina koja vodi u dolinu.

Svake večeri jedan starac se penje i silazi tom padinom. Kad se putnik prvi put obreo u Arželešu, nije primetio ništa. Drugi put je zapazio da se jedan čovek uvek sa njim mimoilazi. I svaki sledeći put kad bi odlazio u to selo, zapažao je sve više pojedinosti – odeću, beretku, štap, naočari. I dan-danas, kad god se seti toga sela, pomisli i na starčića – iako on o tome i ne sanja.

Jedan jedini put putnik je s njime popričao.

Hoteći da se našali upitao je:

– Da ne živi možda Bog u ovim divnim planinama oko nas?

– Bog živi – reče starčić – na onim mestima gde Ga puste da uđe.

Jedne noći učitelj se sastade s učenicima, i zamoli ih da založe vatru da bi mogli da razgovaraju.

– Duhovni put je kao ovaj oganj koji plamti ispred nas – reče. – Čovek koji želi da ga upali mora da se pomiri s neprijatnim dimom koji otežava disanje i nagoni suze na lice.

Tako se iznova osvaja vera.

– Međutim, kad je vatra već jednom upaljena, dim iščezava, a plamen obasjava sve unaokolo – pružajući nam toplotu i spokoj.

– A ako neko upali vatru umesto nas? – upita jedan od učenika. – Ako nam neko pomogne da izbegnemo dim?

– Ako neko to učini, znači da je lažni učitelj. Znači da može da odnese vatru kud god mu se prohte, ili da je ugasi kad god hoće. I pošto nije nikoga obučio da je upali, u stanju je da ostavi čitav svet u tami.

Jedna prijateljica uzela je svoja tri sina i rešila da živi na jednom malom imanju u unutrašnjosti Kanade. Želela je jedino da se posveti duhovnoj kontemplaciji.

Za manje od godinu dana zaljubila se, ponovo udala, proučila tehnike meditacije svetaca, obezbedila deci školovanje, stekla prijatelje, stekla neprijatelje, zapustila negu zuba, dobila čir, zaradila promrzline u snežnim mećavama, naučila da popravlja kola, da otpušava kanalizaciju, da prištedi novac od kirije svakog meseca, da živi od socijalne pomoći, da spava bez grejanja, da se smeje bez razloga, da plače iz očaja, da sagradi jednu kapelu, da obavlja popravke po kući, da kreči, da drži kurseve duhovne kontemplacije.

– I na kraju sam shvatila da život posvećen molitvi ne podrazumeva usamljenost – kaže. – Božja ljubav je toliko velika da mora da se deli.

Kad budeš započeo svoj put, naići ćeš na vrata na kojima je zapisana jedna rečenica – kaže učitelj. – Vrati se i reci mi koja je to rečenica.

Učenik se upusti u traganje svim telom i dušom. Jednoga dana napokon ugleda vrata i vraća se učitelju.

– Na početku puta je pisalo: to nije moguće – kaže.

– Gde je to pisalo, na nekom zidu ili na vratima – pita učitelj.

– Na vratima – odgovara učenik.

– Onda spusti ruku na kvaku i otvori.

Učenik posluša. Kako je rečenica bila ispisana na vratima, i ona se pomerala zajedno s njima. U času kad su se vrata širom otvorila, on više ne uspeva da razazna rečenicu – i nastavlja dalje.

Učitelj kaže:
    Zaklopi oči. Uostalom, ne moraš ni za zaklopiš oči. Dovoljno je da zamisliš sledeći prizor: jato ptica koje leti. E sad, reci ti meni koliko ptica vidiš: pet, jedanaest, sedamnaest?
    Kakav god bio odgovor – a teško da će neko umeti da kaže tačan broj – nauk ovog kratkog opita je vrlo jasan. Možeš zamisliti jato ptica, ali broj ptica ti je izmakao. Međutim, prizor je bio jasan, određen, precizan. Negde postoji odgovor na ovo pitanje.
    Ko je odredio koliko ptica mora da se pojavi na toj slici? Ti sigurno nisi.

Neki čovek odluči da poseti jednog pustinjaka koji je živeo nedaleko od manastira u Sketi. Pošto je dugo hodao kroz pustinju, bez cilja, napokon je sreo isposnika.

– Moram da znam koji je prvi korak koji treba učiniti na duhovnom putu – reče.

Pustinjak ga povede do jednog malog bunara, i zamoli ga da pogleda svoj odraz u vodi. Čovek posluša – ali isposnik poče da baca kamenčiće u vodu, tako da se njena površina talasala.

– Ne mogu da razaznam svoje lice dok vi bacate kamenčiće – reče čovek.

– Kao što je čoveku nemoguće da vidi svoje lice u uzburkanoj vodi, takođe je nemoguće tražiti Boga ako je duh uznemiren traganjem – reče isposnik. – To je prvi korak.

U vreme kad je putnik upražnjavao zen-budističku meditaciju, učitelj je, u jednom trenutku, otišao u jedan ćošak odaje u kojoj su se učenici okupljali i vratio se sa bambusovim prutom.

Pojedini učenici – oni koji nisu uspevali da se dovoljno usredsrede – podizali su ruku: učitelj im je prilazio, i udarao ih po tri puta u svako rame.

Prvog dana to je izgledalo srednjovekovno besmisleno.

Ali kasnije, putnik je uvideo da je vrlo često neophodno preneti duhovni bol na fizički plan, da bismo uočili zlo koje taj bol prouzrokuje. Na putu za Santjago naučio je jednu vežbu koja se sastojala u tome da zarije nokat kažiprsta u palac kad god pomisli nešto što bi mu moglo nauditi.

Strašne posledice negativnih misli uviđamo tek kasnije. Ali ako omogućimo mislima da se ispolje na fizičkom planu, posredstvom bola, shvatamo zlo koje one izazivaju.

I uspevamo na kraju da ih izbegnemo.

Jedan pacijent od trideset dve godine obratio se terapeutu Ričardu Krouliju.
– Ne uspevam da prestanem da sišem prst – reče.
– Ne obazirite se na to – odgovori Krouli. – Ali svakog dana u nedelji sisajte drugi prst.

Počev od tog trenutka pacijent je – svaki put kad bi prineo šaku ustima – bio instinktivno prinuđen da izabere prst koji bi trebalo da postane predmet njegove pažnje toga dana. Još nije istekla cela nedelja, a on je bio izlečen.

– Kad usvojimo neku ružnu naviku, postaje nam teško da se s njom izborimo – kaže Ričard Krouli. – Ali kad ona počne od nas da zahteva nova ponašanja, odluke, izbore, onda postajemo svesni da nije vredna tolikog napora.

U starom Rimu jedna grupa proročica poznatih kao Sibile napisala je devet knjiga u kojima je ispričana budućnost Rima. Odnesoše tih devet knjiga Tiberiju.
– Koliko košta? – upita Rimski imperator.
– Sto zlatnika – odgovoriše Sibile.
Tiberije se rasrdi i otera ih. Sibile spališe tri knjige i vratiše se:
– I dalje koštaju sto zlatnika – rekoše.
Tiberije se nasmeja i ne pristade da plati za šest knjiga isto koliko bi platio za devet.
Sibile spališe još tri knjige i vratiše se sa preostale tri:
– I dalje koštaju sto zlatnika – rekoše.
Tiberije, goreći od znatiželje, napokon plati – ali uspeo je da pročita samo deo budućnosti svoga carstva.
Učitelj kaže:
Umeće življenja podrazumeva i sledeće: ne cenjkati se s pogodnom prilikom.

Ovo su reči Rufuza Džonsa:
— Nemam nameru da gradim nove Vavilonske kule koristeći kao opravdanje ideju da moram stići do Boga.

„Te kule su odvratne; neke su sazidane od cementa i cigala; druge od svitaka svetih spisa. Neke su sagrađene sa drevnim obredima, a mnoge su podignute sa novim naučnim dokazima o postojanju Boga.

„Sve te kule, koje nas primoravaju da se na njih penjemo, počev od mračnog i zabačenog temelja, mogu nam pružiti jednu predstavu o Zemlji – ali nas ne vode na Nebo.

„Sve što postižemo, samo je ista ona stara pometnja jezika i osećanja.

„Mostovi koji vode ka Bogu zovu se vera, ljubav, radost i molitva."

Dva rabina pokušavaju na sve načine da pruže duhovnu utehu Jevrejima u nacističkoj Nemačkoj. Dve godine, iako premiru od straha, uspevaju da zavaraju svoje progonitelje – i obavljaju verske dužnosti u različitim zajednicama.

Na kraju bivaju uhvaćeni. Jedan od njih, zastrašen onim što se može dogoditi od tog časa pa nadalje, ne prestaje da se moli. Drugi, naprotiv, provodi čitav dan u spavanju.

– Zašto se tako ponašaš? – pita prestrašeni rabin.

– Da sačuvam svoje snage. Znam da će mi, od sad pa nadalje, biti potrebne – kaže drugi.

– Ali zar te nije strah? Zar ne znaš šta nam se može desiti?

– Bilo me je strah dok nisam dopao zatvora. Sada, kad sam uhvaćen, šta vredi da strepim od onoga što se već dogodilo?

Vreme straha je prošlo; sada počinje vreme nade.

Učitelj kaže:
Volja. To je reč koju bi ljudi morali staviti pod sumnju neko vreme.

Koje to stvari ne radimo zato što nemamo volje, a koje ne radimo zato što su opasne?

Evo jednog primera koji brkamo sa „nedostatkom volje": pričanje sa nepoznatima. Bilo da je reč o razgovoru, običnom kontaktu, poveravanju, retko kad razgovaramo sa nepoznatima.

I uvek smatramo da je „bolje tako".

Tako na kraju ne pomažemo niti primamo pomoć od Života.

Naša uzdržanost čini da izgledamo veoma važni, veoma sigurni u sebe. Ali, zapravo, takvim ponašanjem ne dopuštamo da glas našeg anđela progovori kroz usta drugih.

Jedan stari isposnik bio je pozvan jednom prilikom na dvor najmoćnijeg kralja toga doba.
– Zavidim svetom čoveku koji se zadovoljava s tako malim – reče kralj.
– Ja zavidim Vašoj Visosti koja se zadovoljava s još manjim nego ja – odgovori isposnik.
– Kako možete to da mi kažete kad u cela ova zemlja pripada meni? – reče kralj, uvređen.
– Upravo zato – prozbori stari isposnik. – Ja imam muziku nebeskih sfera, imam reke i planine čitavog sveta, imam Mesec i Sunce jer nosim Boga u svojoj duši. Vaše Veličanstvo, međutim, ima samo ovo kraljevstvo.

Hajdemo do planine na kojoj Bog obitava – predloži jedan konjanik svom prijatelju. – Hoću da pokažem da On jedino ume da zahteva, a ne čini ništa da nam olakša naš teret.
– A ja idem da bih dokazao svoju veru – reče drugi.
Stigoše noću na vrh planine – i začuše jedan Glas iz tame:
„Natovarite svoje konje kamenjem sa zemlje!"
– Jesi li video? – reče prvi konjanik. – Posle tolikog uspinjanja, on nas opterećuje novim bremenom. Neću ga poslušati ni po koju cenu!
Drugi konjanik učini ono što je Glas rekao. Kad su se spustili s planine, bila je već zora – i prvi zraci sunca obasjali su kamenje koje je bogobojažljivi konjanik nosio: bili su to čisti dijamanti.
Učitelj kaže:
Božje odluke su tajanstvene; ali uvek idu nama u korist.

Učitelj kaže:
Dragi moj, moram da ti saopštim jednu novost koju možda još ne znaš. Pomišljao sam da je ublažim, da je naslikam najsjajnijim bojama, da je ispunim obećanjima Raja, vizijama apsoluta, ezoteričnim objašnjenjima – ali iako sve to postoji, nije mu ovde mesto.

Udahni duboko i pripremi se. Moram da budem direktan i iskren i mogu se zakleti – potpuno sam siguran u ovo što govorim. To je nepogrešivo predviđanje koje ne ostavlja mesta nikakvoj sumnji.

Vest glasi: umrećeš.

Može to biti sutra, može biti kroz pedeset godina, ali, pre ili kasnije, ti ćeš umreti. Iako se ne slažeš s tim. Iako imaš druge planove.

Zato dobro promisli o onome što ćeš raditi danas. I sutra. I do kraja svojih dana.

Jedan beli istraživač, koji je goreo od želje da što pre stigne do svog odredišta u srcu Afrike, izdašno je častio svoje nosače – urođenike da bi brže išli. Danima su nosači grabili kroz pustinju krupnim koracima.

Jedne večeri, međutim, svi posedaše na zemlju i odložiše svoj prtljag, odbijajući da nastave put. Koliko god para da im je nuđeno, urođenici se nisu pomerali s mesta. Kada je, naposletku, istraživač zatražio neko objašnjenje za takvo ponašanje, dobio je sledeći odgovor:

– Hodali smo isuviše brzo, i više nismo znali šta radimo. Sada moramo da sačekamo da nas naše duše sustignu.

Naša Gospa, s malim Isusom u naručju, siđe na Zemlju da poseti jedan manastir.

Počastvovani i ponosni, sveti oci stadoše u red da bi joj iskazali svoje poštovanje; jedan je recitovao pesme, drugi je pokazao svoje iluminacije za *Bibliju*, treći je nabrojao imena svetaca.

Na kraju reda stajao je jedan neugledni monah, koji nije bio u prilici da usvoji znanja od učenih glava toga doba.

Njegovi roditelji bili su obični ljudi koji su radili u jednom cirkusu. Kad je došao red na njega, fratri su hteli da završe svečanost iz straha da on ne pokvari utisak o njihovom manastiru.

Ali i on je želeo da iskaže svoju ljubav prema Bogorodici. Sav postiđen, praćen prekornim pogledima svoje braće, izvuče iz džepa nekoliko pomorandži i poče da ih baca u vazduh izvodeći majstorije koje je naučio od svojih roditelja u cirkusu.

I tek tada se mali Isus nasmejao i zapljeskao ručicama od radosti. I jedino – njemu Bogorodica je pružila ruke, i dozvolila mu da malo pridrži njenog sina.

Ne trudi se da budeš koherentan sve vreme. Uostalom, Sveti Pavle je rekao da je „mudrost sveta samo puka ludost pred Bogom."

Biti koherentan to znači nositi uvek kravatu koja se slaže s čarapama. To podrazumeva obavezu da zastupaš i sutra ista mišljenja koja si zastupao juče. A šta ćemo sa kretanjem Vasione?

Pod uslovom da time nikom ne nanosiš štetu, menjaj mišljenje s vremena na vreme i zapadaj u protivrečnosti bez imalo stida.

To je tvoje pravo. Nije važno šta drugi misle jer oni će ionako misliti kako im se prohte.

I zato, opusti se. Pusti da se Vasiona okreće oko tebe i otkrij radost u spremnosti da samom sebi priređuješ iznenađenja. „Bog je izabrao lude stvari da bi postideo mudrace", kaže Sveti Pavle.

Učitelj kaže:
Danas bi bilo dobro učiniti nešto neuobičajeno. Možemo, na primer, da plešemo na ulici dok idemo na posao. Da gledamo u oči nekog neznanca i da govorimo o ljubavi na prvi pogled. Da predložimo našem šefu neku ideju koja može izgledati smešna, ali u koju verujemo. Da kupimo neki instrument na kome smo oduvek želeli da sviramo, a nikad se nismo usudili. Ratnici svetlosti dopuštaju sebi takve dane.

Danas možemo isplakati neke stare žalosti koje nas još uvek peku u grlu. Telefoniraćemo nekome s kim smo se zarekli da nikad više ni reč ne prozborimo (ali čiju bismo poruku vrlo rado saslušali sa naše telefonske sekretarice). Današnji dan može se smatrati danom izvan kruga koji opisujemo svakoga jutra.

Danas će svaki propust biti dozvoljen i oprošten. Danas je dan za životne radosti.

Naučnik Rodžer Penrouz šetao je s nekim prijateljima u živom razgovoru. Ućutali su samo na trenutak da bi prešli preko ulice.

– Sećam se da mi je, dok sam prelazio ulicu, pala na um jedna neverovatna misao – kaže Penrouz. – Međutim, čim smo stigli na drugu stranu, nastavili smo prekinuti razgovor, i ja nisam uspevao da se setim šta sam to mislio pre nekoliko sekundi.

Predveče Penrouz poče da oseća neki nemir, ne znajući ni sam zašto.

– Imao sam utisak da mi se otkrilo nešto veoma važno – kaže.

Odlučio je da ponovo pretrese svaki minut toga dana – i kad je stigao do trenutka kad je prelazio ulicu – ideja mu se vratila. Ovoga puta uspeo je da je – zapiše.

Bila je to teorija o crnim rupama, koja je izazvala pravu revoluciju u modernoj fizici. A javila mu se ponovo zato što je Penrouz bio u stanju da se seti ćutanja koje nas uvek prati dok prelazimo ulicu.

Sveti Antun življaše u pustinji kad mu pristupi jedan mladić:
– Oče, rasprodao sam sve što sam imao i razdelio sirotinji. Sačuvao sam samo nekoliko stvari da mi pomognu da ovde preživim. Voleo bih da me uputiš na put spasenja.

Sveti Antun zamoli mladića da proda i to malo stvari što je sačuvao i da tim novcem kupi meso u gradu. Na povratku moraće to meso da ponese privezano uz svoje telo.

Mladić posluša. Na povratku napadoše ga psi i sokolovi, koji su hteli da otmu po komad mesa.

– Vraćam se – reče mladić, pokazujući izgrebano telo i poderanu odeću.

– Oni koji čine novi korak a još uvek žele da sačuvaju deo starog života bivaju naposletku raščerupani od svoje vlastite prošlosti – zaključi svetitelj.

Učitelj kaže:
Proživi sve blagodeti koje ti je Bog danas dao.

Blagodet se ne može štedeti. Ne postoji banka u koju se mogu uložiti primljene blagodeti da bismo ih kasnije upotrebili po svojoj volji. Ako ne budeš koristio te dobrobiti, izgubićeš ih bespovratno.

Bog zna da smo mi umetnici življenja. Jednog dana daruje nam oblike za skulpture, drugog dana daje nam četkice i platno, ili pero za pisanje. Ali nikad nećemo uspeti da primenimo oblike u izradi slikarskog platna, ili pera za skulpture. Svaki dan ima svoje čudo.

Prihvati blagodeti, radi i stvaraj svoja mala umetnička dela danas.

Sutra ćeš primiti još.

Manastir na obali reke Pjedre okružen je divnom vegetacijom – to je prava oaza sred jalovih polja u tom delu Španije. Na tom mestu rečica se preobražava u nabujalu maticu i deli se u desetine slapova.

Putnik šeta tim predelom slušajući muziku voda. Najednom neka pećina – ispod jednog vodopada – privlači njegovu pažnju. On pažljivo promatra kamen izlizan od vremena, čudesne oblike koje priroda strpljivo stvara. I otkriva, zapisane na jednoj ploči, stihove R. Tagore:

– Nije čekić učinio ovo kamenje savršenim, već voda, svojom pitomošću, svojom igrom i svojom pesmom.

Tamo gde grubost ume samo da razara, blagost uspeva da vaja.

Učitelj kaže:
Mnogi ljudi se plaše sreće. Tim osobama ta reč znači promenu čitavog niza navika – i gubitak vlastitog identiteta.

Vrlo često smatramo da smo nedostojni dobrih stvari koje nam se dešavaju. Ne prihvatamo ih – jer ako ih prihvatimo, imamo utisak da nešto dugujemo Bogu.

Pomišljamo: „Bolje je ne okusiti pehar radosti jer ćemo silno patiti kad nam on bude uskraćen."

Iz straha od smanjivanja prestajemo da rastemo. Iz straha od plača prestajemo da se smejemo.

U manastiru u Sketi desilo se jedne večeri da jedan fratar uvredi drugog. Starešina manastira opat Sisois zamoli uvređenog fratra da oprosti svome klevetniku.

– Ni po koju cenu – odgovori fratar. – On je počinio, on mora i da plati.

U tom času opet Sisois podiže ruke k nebu i poče da zaziva:

– Isuse moj, Ti nam više nisi potreban. Već smo u stanju da nateramo klevetnike da plate za svoje uvrede. Već smo u stanju da držimo osvetu u svojim rukama i da se staramo o Dobru i Zlu. Dakle, Gospod može da odstupi od nas bez problema.

Postiđen, fratar je odmah oprostio svome bratu.

Svi učitelji kažu da je duhovno blago samotnjačko otkriće. – Zašto smo onda zajedno? – upita jedan od učenika.

– Vi ste zajedno zato što je šuma uvek jača od usamljenog drveta – odgovori učitelj. – Šuma održava vlažnost, bolje odoleva olujama, pomaže tlu da očuva plodnost. Ali ono što drvo čini jakim to je njegov koren. A koren jedne biljke ne može pomoći drugoj biljci da raste.

„Biti zajedno u težnji ka istom cilju, a pustiti svakoga da se razvija na svoj način, to je put onih koji žele da ostvare zajedništvo sa Bogom."

Kad je putnik imao deset godina, majka ga je naterala da pohađa kurs fizičke obuke.

Jedna od vežbi bila je skakanje s mosta u vodu. Premirao je od straha. Stajao je poslednji u redu, i kako bi koji dečak ispred njega skočio, tako je i njegova patnja rasla jer će uskoro nastupiti trenutak da se i on baci u vodu. Jednoga dana, nastavnik – videvši njegov strah – natera ga da skače prvi.

Osetio je isti strah, ali on je tako brzo prošao da se pretvorio u hrabrost.

Učitelj kaže:

Vrlo često moramo sačekati da prođe vreme. Drugi put moramo zasukati rukave i sami rešiti situaciju. U tom slučaju ne postoji ništa gore od odlaganja.

Sedeo Buda jednog jutra sa svojim učenicima, kad priđe neki čovek.
– Postoji li Bog? – upita.
– Postoji – odgovori Buda. Posle ručka naiđe drugi čovek.
– Postoji li Bog? – hteo je da zna.
– Ne, ne postoji – reče Buda.
Predveče i treći čovek postavi isto pitanje:
– Postoji li Bog?
– Moraš sam da odlučiš – odgovori Buda.
– Učitelju, kakva besmislica! – reče jedan od njegovih učenika. – Kako možete davati različite odgovore na jedno isto pitanje?
– Zato što je reč o različitim osobama – odgovori prosvetljeni. – I svaka će se približiti Bogu na svoj način: kroz izvesnost, poricanje i sumnju.

Mi smo bića zaokupljena potrebom da delimo, radimo, rešavamo, preduzimamo. Neprestano pokušavamo da isplaniramo jednu stvar, zaključimo neku drugu, otkrijemo treću.

Nema ničeg pogrešnog u tome – na kraju krajeva, to je način na koji gradimo i preuređujemo svet. Ali čin obožavanja takođe spada u životno iskustvo.

Zaustaviti se s vremena na vreme, izaći iz samog sebe, istrajno ćutati pred Vasionom.

Klečati i dušom i telom. Ne moliti, ne razmišljati, čak i ne zahvaljivati ni na čemu. Prosto-naprosto proživljavati bezglasnu ljubav koja nas obavija. U tim trenucima mogu se javiti neočekivane suze – suze koje ne potiču ni od radosti ni od žalosti.

Nemoj se iznenaditi. To je svojevrstan dar. Te suze ispiraju tvoju dušu.

Učitelj kaže:
Ako budeš morao da plačeš, plači kao deca.

I ti si nekad bio dete, i jedna od prvih stvari koje si naučio u životu bilo je plakanje, jer ono čini deo života. Nikad nemoj zaboraviti da si slobodan, i da ispoljavanje osećanja nije sramota.

Vrišti, jecaj glasno, pravi galamu ako ti se prohte – jer tako plaču deca, a ona znaju najbrži način da smire svoja srca.

Jesi li primetio kako deca prestaju da plaču?

Nešto ih zanese. Nešto odvuče njihovu pažnju ka nekoj novoj pustolovini.

Deca prestaju da plaču veoma brzo.

Tako će biti i sa tobom – ali samo ako budeš plakao kao što plače dete.

Putnik sedi za ručkom s jednom prijateljicom advokatom, u Fort Loderdejlu. Neki vrlo živahan pijanac, za susednim stolom, sve vreme navaljuje da zapodene razgovor. U jednom trenutku prijateljica zamoli pijanca da ućuti. Ali on navaljuje:

– Zašto? Govorio sam o ljubavi kao što neki zakopčan čovek nikad ne bi govorio. Pokazao sam da sam veseo, pokušavao da stupim u vezu s nepoznatim ljudima. Šta je u tome pogrešno?

– Nije pogodan trenutak – odgovara ona.

– Znači da postoji određeni trenutak kad čovek sme da pokaže da je srećan?

Posle ove rečenice pijanac je bio pozvan da im se pridruži za stolom.

Učitelj kaže:
Moramo voditi računa o svome telu – ono je hram Svetoga Duha, i zaslužuje naše poštovanje i nežnost.

Moramo iskoristiti naše vreme do maksimuma – treba da se borimo za naše snove, i da usredsredimo sve naše napore u tom smeru.

Ali ne smemo gubiti iz vida da je život sazdan od sitnih zadovoljstava. Ona su tu smeštena da bi nas podsticala, da bi nam pomagala u našim traganjima, da bi nam pružila trenutke predaha dok vodimo naše svakodnevne bitke.

Biti srećan to nije nikakav greh. Ne činimo nikakav prestup ako – s vremena na vreme – prekršimo pravila ishrane, spavanja, radosti.

Nemojte kriviti sebe ako ponekad gubite vreme na gluposti. To su sitna zadovoljstva koja nam pružaju velike podsticaje.

Dok je učitelj boravio na putu, šireći reč Božiju, kuću u kojoj je živeo sa svojim učenicima zahvatio je požar.
– On nam je poverio ovo mesto, a mi nismo umeli o njemu da se staramo kako valja – reče jedan od učenika.
Bez odlaganja počinju da obnavljaju ono što je vatra poštedela – ali učitelj se vraća pre vremena i zatiče radove na obnovi.
– Znači, krenulo nam je nabolje: nova kuća! – kaže sav radostan.
Jedan od učenika otkriva mu pravo stanje stvari: mesto na kojem su stanovali uništeno je u plamenu.
– Ne shvatam šta mi to govoriš – odgovara učitelj. – Ono što vidim to su ljudi s verom u život, koji započinju jednu novu etapu. Oni koji su izgubili jedino što su imali nalaze se u boljem položaju od većine ljudi: jer, od sad pa nadalje, biće samo na dobitku.

Pijanista Artur Rubinštajn zakasnio je na ručak u jednom uglednom restoranu u Njujorku. Njegovi prijatelji su već počeli da se brinu – ali Rubinštajn se napokon pojavljuje, u pratnji jedne raskošne plavuše trostruko mlađe od njega.

Poznat po svom cicijašluku, tog popodneva naručivao je najskuplja jela, najređa i najprobranija vina. Na kraju, platio je račun s osmehom na usnama.

– Znam da se vi sigurno čudite – reče Rubinštajn, ali danas sam bio kod advokata da sastavim testament. Ostavio sam pozamašnu svotu svojoj kćeri, rođacima, a veliki deo sam poklonio u dobrotvorne svrhe. Najednom mi je sinulo da ja nisam uključen u svoj testament: sve je namenjeno drugima!

„Od tog trenutka rešio sam da se velikodušnije ophodim prema sebi".

Učitelj kaže:
Ako si kročio na put svojih snova, nagodi se s njim. Ne ostavljaj izlazna vrata otvorena, uz opravdanje: „To nije baš ono što sam želeo." Ova rečenica nosi u sebi klicu poraza.

Prihvati svoj put. Čak i ako budeš morao da činiš neizvesne korake, čak i ako znaš da bi mogao i bolje da radiš ono što radiš. Ako prihvatiš svoje mogućnosti u sadašnjosti, sasvim je sigurno da ćeš se popraviti u budućnosti.

Ali ako odbiješ da priznaš svoja ograničenja, nikad ih se nećeš osloboditi.

Suoči se hrabro sa svojim putem, i ne plaši se tuđe kritike. I, pre svega, ne dozvoli da te sputavaju tvoje vlastite zamerke.

Bog će biti sa tobom u besanim noćima, otreće skrivene suze Svojom ljubavlju.

Bog je Bog odvažnih.

Učitelj zamoli učenike da pribave hranu. Nalazili su se na putu i nisu uspevali da se redovno hrane.

Učenici se vratiše u smiraj dana. Svaki od njih nosio je ono malo što je primio kao milostinju: natrulo voće, bajat hleb, prokislo vino.

Jedan učenik, međutim, nosio je džak zrelih jabuka.

– Uvek ću činiti sve što je u mojoj moći da pomognem svom učitelju i svojoj braći – reče deleći jabuke s ostalima.

– Gde si to nabavio? – upita učitelj.

– Morao sam da ih ukradem – odgovori učenik – Ljudi su mi nudili samo bajatu hranu, iako su znali da širimo reč Božju.

– Onda se gubi odavde sa svojim jabukama, i nikad se više ne vraćaj – reče učitelj. – Onaj koji krade za mene, na kraju će krasti od mene.

Otisnuli smo se u svet u potrazi za svojim snovima i idejama. Vrlo često postavljamo na nedostupna mesta ono što nam se nalazi nadohvat ruke. Kad otkrijemo grešku, imamo utisak da gubimo vreme tražeći negde daleko ono što je bilo blizu. Okrivljujemo sebe zbog pogrešnih koraka, zbog uzaludnog traganja, zbog nezadovoljstva koje smo prouzrokovali.

Učitelj kaže:

Iako je blago zakopano u tvojoj kući, otkrićeš ga tek kad se odatle udaljiš. Da Petar nije okusio bol poricanja, ne bi bio izabran za osnivača Crkve. Da bludni sin nije sve napustio, ne bi ga otac primio nazad i svečano dočekao.

Postoje izvesne stvari u našem životu koje nose, kao zaštitni znak, sledeću poruku: „Nećeš shvatiti moju vrednost dok god me ne izgubiš i ne povratiš." Ništa nam ne vredi ako pokušavamo da skratimo taj put.

Jednog jutra učitelj se sastade sa svojim najdražim učenikom i upita ga kako napreduje njegov duhovni razvoj. Učenik odgovori da je uspeo da posveti Bogu svaki trenutak dana.

– Onda ti još jedino preostaje da oprostiš svojim neprijateljima – reče učitelj.

Učenik se okrete, zaprepašćen:

– Ali nema potrebe! Ja nisam kivan na svoje neprijatelje!

– Zar ti misliš da je Bog kivan na tebe? – upita učitelj.

– Naravno da nije! – odgovori učenik.

– A ipak se moliš za Njegov oproštaj, je li tako? Učini to isto i sa svojim neprijateljima, čak i ako ne osećaš mržnju prema njima. Ko prašta, taj umiva i posipa mirisom svoje srce.

Mladi Napoleon drhtao je kao prut za vreme žestokih bombardovanja tokom opsade Tulona.
Videvši ga tako, jedan vojnik skrenu pažnju ostalima:
– Pogledajte samo kako premire od straha!
– Tačno – odgovori Napoleon. – Ali nastavljam da se borim. Kad bi ti osećao makar i polovinu straha koji ja osećam, odavno bi već pobegao glavom bez obzira.
Učitelj kaže:
Strah nije znak kukavičluka. Upravo nam on pruža mogućnost da se ponašamo srčano i dostojanstveno u životnim neprilikama. Ko oseća strah – a uprkos tome nastavlja napred, ne dopustivši sebi da se prepadne – samo dokazuje svoju odvažnost. Međutim, onaj ko se suočava s opasnim situacijama, a da pri tom nije svestan opasnosti, pokazuje jedino svoju neodgovornost.

Putnik prisustvuje proslavi Ivanjdana, sa šatrama, streljanama, domaćom hranom.

Odjednom, neki klovn počinje da oponaša sve njegove pokrete. Prisutni se smeju, a i putnika to zabavlja. Na kraju poziva klovna na kafu.

– Nagodi se sa životom – kaže klovn. – Ako si već živ, onda treba da mašeš rukama, da skačeš, da galamiš, da se smeješ i razgovaraš s ljudima – jer život je upravo sve suprotno smrti.

„Umreti znači ostati zauvek u istom položaju. Ako si suviše miran, znači da ne živiš".

Jedan moćni vladar pozva jednog svetog oca – za koga su svi tvrdili da ima isceliteljske moći – da mu pomogne da se oslobodi bolova u predelu kičme.

– Bog će nam pomoći – reče sveti čovek. – Ali prethodno treba da utvrdimo uzrok tih bolova. Ispovest navodi čoveka da se suoči sa svojim problemima, i oslobađa ga mnogih muka.

I sveštenik stade da se podrobno raspituje o kraljevom životu, počev od načina na koji se ovaj ophodi sa bližnjima, pa sve do nedoumica i neprijatnosti vezanih za njegovu vladavinu. Kralj, sit razmišljanja o problemima, obrati se svetom čoveku:

– Ne želim da govorim o tim temama. Molim te, dovedi mi nekoga ko ume da leči ne postavljajući pitanja.

Otac izađe i vrati se kroz pola sata u pratnji drugog čoveka.

– Našao sam čoveka koji vama treba – reče. – Moj prijatelj je veterinar. I nema običaj da razgovara sa svojim pacijentima.

Jednog jutra učenik i učitelj šetali poljem.
Učenik zamoli učitelja da mu odredi post neophodan za postizanje pročišćenja. Ma koliko da je učitelj uporno tvrdio kako je svaka hrana sveta, učenik nije hteo da mu poveruje.

– Mora da postoji neko jestivo koje nas približava Bogu – navaljivao je učenik.

– Dobro, možda si u pravu. One gljive tamo, na primer – reče učitelj.

Učenik se obradova misleći da će mu gljive doneti pročišćenje i verski zanos. Ali kad je prišao, vrisnuo je:

– Otrovne su! Ako pojedem ijednu od njih, istog časa ću umreti! – reče užasnut.

– Osim toga, ne znam nijedan drugi način da se približimo Bogu putem ishrane – odgovori učitelj.

U zimu 1981. putnik šeta sa svojom ženom ulicama Praga, kad spazi nekog mladića kako crta po okolnim zgradama.

Jedan od njegovih crteža mu se dopada i on rešava da ga kupi.

Kad je pružio novac, primetio je da mladić nema rukavice – uprkos mrazu od – 5 °C.

– Zašto ne nosite rukavice? – pita.

– Da bih mogao da držim olovku.

Popričali su malo o Pragu. Mladić odluči da nacrta portret putnikove žene, bez ikakve nadoknade.

Dok čeka da crtež bude gotov, putnik uviđa da se desilo nešto neobično; razgovarao je gotovo pet minuta s mladićem, a da nijedan od njih nije poznavao jezik onog drugog.

Bili su to samo pokreti, osmesi, izrazi lica – ali želja da podele nešto omogućila im je da bez reči stupe u svet jezika.

Jedan prijatelj odvede Hasana do ulaza u džamiju, gde je neki slepac stajao i prosio.
– Ovaj slepac je najmudriji čovek u našoj zemlji – reče.
– Otkada ste slepi? – upita Hasan.
– Od rođenja – odgovori čovek.
– A kako ste postali mudrac?
– Kako nisam hteo da se pomirim sa svojim slepilom, pokušao sam da budem astronom – odgovori čovek. – Budući da nisam mogao da vidim nebesa, bio sam prinuđen da zamišljam zvezde, sunce, sazvežđa. Približavajući se Božjem delu, na kraju sam se približio Njegovoj Mudrosti.

U jednoj zabačenoj krčmi u Španiji, blizu grada zvanog Olite, stoji jedan plakat koji je napisao njen gazda: „Upravo kad sam uspeo da nađem sve odgovore, promenili su sva pitanja."
Učitelj kaže:
Uvek smo suviše zaokupljeni traženjem odgovora: smatramo da su odgovori vrlo važni za razumevanje smisla života.

Ali mnogo je važnije živeti punim životom, ostaviti vremenu da vam otkrije tajne našeg postojanja. Ako smo suviše zaokupljeni pronalaženjem smisla, ne dozvoljavamo prirodi da deluje i postajemo nesposobni da čitamo Božje znakove grada.

Jedna australijska legenda pripoveda o nekom vraču koji je putovao sa svoje tri sestre. Jednoga dana, priđe im najslavniji ratnik onoga doba.

– Hoću da se oženim jednom od ovih lepih devojaka – reče.

– Ako se jedna od njih uda, ostale će patiti. Tražim neko pleme u kojem ratnici mogu imati po tri žene – odgovori vrač, udaljavajući se.

I tako su godinama hodali australijskim kontinentom ne uspevši da pronađu takvo pleme.

– Barem je jedna od nas mogla da bude srećna – reče jedna sestra kad su već svi bili stari i umorni od tolikog hodanja.

– Ja sam pogrešio – odgovori vrač. – Ali sad je kasno.

I pretvori tri sestre u kamene gromade, kako bi svako ko tuda prođe mogao da uvidi da sreća jednog ne znači tugu drugog.

Novinar Vagner Kareli išao je da intervjuiše argentinskog pisca Horhea Luisa Borhesa.

Kad su završili intervju, povedoše razgovor o jeziku koji postoji izvan reči i o neograničenoj sposobnosti ljudskog bića da razume svog bližnjeg.

– Navešću vam jedan primer – reče Borhes.

I poče nešto da govori na nekom stranom jeziku. Na kraju upita o čemu je govorio.

Pre no što je Vagner uspeo išta da kaže, fotograf koji ga je pratio odgovori:

– To je *Očenaš*.

– Tačno – reče Borhes. – A ja sam ga recitovao na finskom.

Jedan cirkuski trener uspeva da drži vezanog slona jer koristi vrlo jednostavan trik: dok je životinja još mladunče, veže jednu njenu šapu za veoma jak trupac.

Koliko god da se trudi, slončić ne uspeva da se odveže. Malo-pomalo navikava se na ideju da je trupac moćniji od njega.

Kad poraste i stekne neobičnu snagu, dovoljno je da se za slonovu nogu veže uže i priveže za neku grančicu od koje on i ne pokušava da se oslobodi – jer se seća da je već mnogo puta pokušao a nije uspeo.

Isto kao i kod slonova, naša su stopala vezana za nešto lomljivo. Ali pošto smo, još kao deca, navikli na moć onog trupca, ne usuđujemo se ništa da učinimo.

A ne znamo da je dovoljan jedan običan odvažan gest da bismo otkrili svoju slobodu.

Izlišno je tražiti objašnjenje o Bogu; o tome se može štošta lepo reći, ali, u suštini, sve su to prazne reči. Isto tako možete pročitati celu jednu enciklopediju o ljubavi, a da ne saznate šta znači voleti.

Učitelj kaže:

Niko neće uspeti da dokaže da Bog postoji; ili da ne postoji. Izvesne stvari u životu stvorene su zato da bi se iskusile, a ne objašnjavale.

Jedna od njih je ljubav. I Bog – koji je ljubav – takođe. Vera je jedno dečje iskustvo, u onom čarobnom smislu na koji nam je ukazao Isus: „Blaženi mališani, jer njihovo je Carstvo Nebesko."

Boga nikad nećeš spoznati glavom – vrata koja on koristi to je tvoje srce.

Opat Pastor imao je običaj da kaže kako se opat Žuan toliko molio Bogu da više nije imao razloga da se brine – njegove strasti bile su savladane.

Reči opata Pastora na kraju dopreše i do jednog mudraca iz manastira u Sketi. Posle večere, mudrac okupi mlade iskušenike.

– Čuli ste da se priča kako opat Žuan nema više strasti koje treba da savlađuje – reče on. – Nedostatak borbe dovodi do slabljenja duše. Hajde da molimo Gospoda da pošalje opatu Žuanu neko jako iskušenje. A ukoliko uspe da ga savlada, molićemo za drugo, a potom i za sledeće. A kad se on ponovo uhvati ukoštac sa iskušenjima, onda ćemo se moliti da nikada ne kaže: „Gospode, udalji ovog nečastivog od mene." Molićemo se da traži: „Gospode, pruži mi snage da se suočim sa zlom."

Postoji jedan trenutak u toku dana kada je teško razaznati obrise stvari: sumrak. Svetlost i tmina se susreću – i ništa nije potpuno svetlo ili potpuno tamno. U većini duhovnih predanja taj se trenutak smatra svetim.

Katolička tradicija nas uči da u šest sati popodne treba da molimo *Zdravo Marija*. U tradiciji Kečua, ako po podne sretnemo nekog prijatelja i ostanemo s njim do sumraka, moramo početi sve iznova, pozdravljajući ga ponovo sa „dobro veče".

U času sumraka ravnoteža naše planete i čoveka stavlja se na probu. Bog meša svetlost i senku; želi da vidi da li Zemlja ima hrabrosti da nastavi da se okreće.

Ako se Zemlja ne uplaši od mraka, noć prolazi – i novo nas sunce ponovo obasja.

Nemački filozof Šopenhauer šetao jednom ulicom u Drezdenu tražeći odgovore na pitanja koja su ga mučila. Najednom, spazi neki vrt i odluči da se tu zadrži nekoliko narednih sati posmatrajući cveće.

Jednom od suseda palo je u oči neobično ponašanje tog čoveka, i on pozva čuvare reda. Kroz nekoliko minuta, jedan žandar priđe Šopenhaueru.

– Ko ste vi? – upita žandar grubim glasom.

Šopenhauer odmeri od glave do pete čočeka koji je stajao pred njim:

– Kad biste vi umeli da mi odgovorite na to pitanje – reče filozof – bio bih vam večito zahvalan.

Neki čovek koji je tragao za mudrošću odluči da se povuče u planine jer su mu kazali da se tamo svake dve godine pojavljuje Bog.

Prve godine, pojeo je sve što mu je zemlja nudila. Na kraju, hrane je ponestalo i on je morao da se vrati u grad.

– Bog je nepravedan! – uskliknu. – Pa video je da sam ostao ovde sve ovo vreme u želji da začujem Njegov glas. Sada sam gladan i vraćam se a da nisam uspeo da Ga čujem.

U tom času pojavi se jedan anđeo.

– Bogu bi bilo veoma drago da porazgovara s tobom – reče anđeo. – Godinu dana davao ti je hranu. Očekivao je da ćeš se sledeće godine ti sam postarati za svoju ishranu. Ali šta si u međuvremenu posadio? Ako čovek nije kadar da proizvodi plodove na mestu na kojem živi, nije spreman da razgovara s Bogom.

Mi mislimo: „Dakle, zaista izgleda da se čovekova sloboda sastoji u biranju vlastitog ropstva. Radim osam sati dnevno i, ako me unaprede, preći ću da radim dvanaest sati. Oženio sam se i sad nemam više vremena za samog sebe. Tražio sam Boga, a prinuđen sam da odlazim na obrede, mise, verske ceremonije. Sve što je važno u ovom životu – ljubav, posao, vera – na kraju se preobražava u jedan isuviše težak teret."

Učitelj kaže:

Jedino nam ljubav omogućava da se izbavimo. Jedino ljubav prema onome što radimo preobraća ropstvo u slobodu. Ako nismo kadri da volimo, bolje je da odmah prestanemo. Isus je rekao: „Ako te oko tvoje sablažnjava, izvadi ga i baci od sebe. Bolje ti je s jednijem okom u život ući, nego s dva oka da te bace u pakao ognjeni."

Rečenica je okrutna. Ali to je tako.

Neki isposnik postio je cele godine, uzimajući hranu samo jedanput nedeljno. Posle tolikog napora zamolio je Boga da mu otkrije pravo značenje jednog odlomka iz *Svetog pisma*.
Ali nikakvog odgovora nije bilo.
– Kakvo traćenje vremena – reče kaluđer samom sebi. – Podneo sam ovoliku žrtvu, a Bog mi ne odgovara! Bolje da odem odavde i nađem nekog drugog kaluđera koji zna značenje ovog teksta.
U tom trenutku, ukaza se jedan anđeo.
– Dvanaest meseci posta poslužili su ti samo zato da bi poverovao kako si bolji od drugih, a Bog ne sluša sujetne – reče anđeo. – Ali kad si pokazao poniznost i pomislio da zatražiš pomoć od svog bližnjeg, Bog me je poslao.
I anđeo otkri kaluđeru ono što je ovaj želeo da sazna.

Učitelj kaže:
Obratite pažnju na to kako su pojedine reči sastavljene tako da tačno izraze ono što žele da kažu.

Uzmimo na primer reč „preokupiranost" i podelimo je nadvoje: pre i okupiranost. Znači brinuti se zbog neke stvari pre no što se desi.

Ko, u čitavom univerzumu, može imati dar da se brine zbog nečega što se još nije dogodilo?

Nikad se nemojte brinuti. Usredsredite se na svoju sudbinu i na svoj put. Naučite sve što treba da naučite da biste uspešno rukovali mačem svetlosti koji vam je sudbina dodelila.

Posmatrajte kako se bore prijatelji, učitelji i neprijatelji.

Vežbajte što više, ali nemojte činiti najgori od svih grehova: verovati da znate koji će udarac vaš protivnik da primeni.

Petak je, vraćaš se kući i uzimaš nekoliko novina koje nisi uspeo da pročitaš preko nedelje. Uključuješ televizor, bez zvuka, stavljaš ploču. Koristiš daljinski upravljač da bi menjao stanice, dok prelistavaš stranice i pratiš muziku koja svira. Novine ne donose ništa novo, televizijski program se ponavlja, a ovu ploču si već slušao stotinu puta.

Tvoja žena se bavi decom žrtvujući najbolje godine svoje mladosti, ne shvatajući zašto to čini.

Jedno opravdanje prolazi ti kroz glavu: „Pa neka, takav je život." Ne, život uopšte nije takav. Život je entuzijazam. Razmisli gde si sakrio svoj entuzijazam. Uzmi svoju ženu i decu i kreni za njim pre no što bude suviše kasno. Ljubav još nikad nikog nije sprečila da sledi svoje snove.

Uoči Božića putnik i njegova žena svodili su račune o godini koja se bližila kraju.

Za vreme večere u jedinom restoranu, u jednom selu u Pirinejima, putnik stade da se žali zbog nečeg što se nije desilo onako kako je on to želeo.

Žena je netremice posmatrala božićnu jelku koja je ukrašavala restoran. Putnik pomisli da nju taj razgovor više ne zanima, te promeni temu:

– Baš je lepo osvetljena ova jelka – reče.

– Jeste – odgovori žena. – Ali, ako bolje pogledaš, videćeš da među desetinama sijalica ima i jedna pregorela. Čini mi se da, umesto da posmatraš godinu kao desetine blagoslova koji sijaju, ti ne skidaš pogled s jedine sijalice koja ništa nije obasjala.

– Vidiš li onog svetog čoveka, svog poniznog, koji hoda drumom? – reče jedan đavo drugom. – E pa, idem tamo da mu pridobijem dušu.

– Neće te ni čuti jer obraća pažnju jedino na svete stvari – odgovori njegov pratilac.

Ali đavo, podmukao kao i uvek, preruši se u Arhanđela Gavrila i ukaza se čoveku.

– Došao sam da ti pomognem – reče.

– Možda si me pobrkao s nekim drugim – odgovori sveti čovek. – Nikad u životu nisam učinio ništa čime bih zaslužio da mi se ukaže jedan anđeo.

I nastavi svoj put ne znajući kakvoj je opasnosti umakao.

Anžela Pontual je gledala neku pozorišnu predstavu na Brodveju i izašla na pauzi da popije viski. Predvorje je bilo zakrčeno; ljudi su pušili, ćaskali, pijuckali. Jedan pijanista je svirao. Niko nije obraćao pažnju na muziku. Anžela poče da pije i da posmatra muzičara. Delovao je potišteno, kao da svira pod prisilom i jedva čeka da se pauza završi.

Već kod trećeg viskija, polupijana, ona priđe pijanisti.
– Vi ste neki namćor! Zašto ne svirate samo za sebe? – prodera se ona.

Pijanista je začuđeno pogleda. I već sledećeg trenutka poče da svira muziku koju voli. Za kratko vreme u predvorju je zavladala mukla tišina.

Kad je pijanista završio, svi su mu oduševljeno zapljeskali.

Sveti Franja Asiški bio je vrlo omiljen mladić kad je rešio da sve napusti i izgradi svoje delo. Sveta Klara bila je lepa žena kada se zavetovala na čednost. Sveti Rajmundo Lil poznavao je najveće intelektualce svog doba kad se povukao u pustinju.

Duhovno traganje je, pre svega, izazov. Ko time želi da pobegne od svojih problema, neće daleko stići.

Ništa ne vredi da se povuče iz sveta onome ko ne uspeva da stekne prijatelje. Nema smisla da se zavetujemo na siromaštvo zato što smo nesposobni da zaradimo za život. Ništa nam ne vredi da budemo ponizni ako smo kukavice.

Jedno je imati – i odreći se toga. Drugo je nemati – a osuđivati onoga koji ima. Vrlo je lako nemoćnom čoveku da propoveda potpunu čednost, ali kakvu to ima vrednost?

Učitelj kaže:

Hvalite delo gospodnje. Pobedite sami sebe dok se sučeljavate sa svetom.

Kako je lako biti težak. Dovoljno je držati se po strani od drugih i na taj način izbeći svaku priliku za patnju. Tako se nećemo izlagati rizicima ljubavi, razočaranja, osujećenih snova.

Kako je lako biti težak. Ne moramo da vodimo računa o telefonskim razgovorima koje treba obaviti, o osobama koje traže našu pomoć, o milosrđu koje treba učiniti.

Kako je lako biti težak. Dovoljno je da se pretvaramo kako obitavamo u kuli od slonovače, kako nikad nismo pustili nijednu suzu. Dovoljno je da provedemo ostatak života igrajući neku ulogu.

Kako je lako biti težak. Dovoljno je dići ruke od onog najboljeg što postoji u životu.

Pacijent se obrati lekaru:
— Doktore, strah me obuzima, oduzima mi radost življenja.

— Ovde, u mojoj ordinaciji nalazi se jedan mišić koji jede moje knjige — reče lekar. — Kad bih očajavao zbog tog mišića, on bi se krio od mene, a ja ne bih radio ništa drugo u životu nego bih ga stalno lovio. Dakle, najvažnije knjige držim na sigurnom mestu, a njega puštam da gricka neke druge.

„Na taj način on i dalje ostaje običan mišić, a ne pretvara se u čudovište. Slobodno se plašite nekih stvari i usredsredite sav svoj strah na njih — kako biste sačuvali svoju hrabrost za ostalo."

Učitelj kaže:
Često je lakše voleti nego biti voljen.
Teško nam je da prihvatimo pomoć i podršku drugih. Naše nastojanje da izgledamo nezavisni ne dopušta našem bližnjem da pokaže svoju ljubav.

Mnogi roditelji, u starosti, uskraćuju svojoj deci priliku da im uzvrate onu istu nežnost i ljubav koju su primali kao deca. Mnogi muževi ili žene, kad ih zadesi neka nesreća, osećaju stid da zavise od onog drugog. I tako vode ljubav i ostaju zarobljene u svom koritu.

Treba prihvatiti gest ljubavi od bližnjeg. Treba dozvoliti da nam neko pomogne, da nas podrži, da nam ulije snagu da nastavimo dalje.

Ako prihvatimo tu ljubav čista srca i pokorno, shvatićemo da ljubav ne znači ni davati ni primati.

Šetala Eva Edenskim vrtom, kad joj priđe zmija.
– Pojedi ovu jabuku – reče zmija.
Eva, koja je dobro upamtila Božju pouku, odbi jabuku.
– Pojedi ovu jabuku – navaljivala je zmija – jer možeš da izgledaš lepše za svog čoveka.
– Ne moram – odgovori Eva – jer on nema druge žene osim mene.
Zmija se nasmeja:
– Naravno da ima.
I kako Eva nije htela da poveruje, povede je na vrh jednog brežuljka gde se nalazio bunar.
– Eno je u ovoj rupi; tu ju je Adam sakrio.
Eva se naže i ugleda na vodi bunara odraz jedne prekrasne žene. Istog trenutka, bez oklevanja, pojede jabuku koju joj je zmija ponudila.

Odlomci iz jednog anonimnog „Pisma srcu":
„Srce moje: nikad te neću osuđivati, kritikovati, niti se stideti tvojih reči. Znam da si Božje dete – mezimče, i On te čuva usred jedne jarke i nežne svetlosti.

„Uzdam se u tebe, srce moje. Na tvojoj sam strani i uvek ću tražiti blagoslov za tebe u svojim molitvama, uvek ću se moliti da naiđeš na pomoć i podršku koje su ti potrebne.

„Uzdam se u tvoju ljubav, srce moje. Verujem da ćeš deliti tu ljubav s onim ko je zaslužuje ili potrebuje. Neka moj put bude tvoj put i neka koračamo zajedno u susret Svetome Duhu.

„A tebe molim: imaj poverenja u mene. Znaj da te volim, i da se trudim da ti pružim neophodnu slobodu kako bi nastavilo da radosno kucaš u mojim grudima. Učiniću sve što je u mojoj moći da ti moje prisustvo nikad ne zasmeta."

Učitelj kaže:
Kad odlučimo da delamo, sasvim je prirodno da iskrsavaju neočekivani sukobi. Prirodno je da u tim sukobima nastaju rane.

Rane prolaze: ostaju ožiljci, a oni su prava blagodet. Ti ožiljci ostaju sa nama ostatak života i mnogo nam pomažu. Ako se u nekom trenutku – iz sebičluka ili nekog drugog razloga – javi jaka želja za povratkom u prošlost – dovoljno je da ih pogledamo.

Ožiljci će nam pokazati tragove okova, podsetiti nas na užase tamnice – i mi ćemo nastaviti da koračamo napred.

U svojoj *Poslanici Korinćanima*, Sveti Pavle nam kaže da je blagost jedno od glavnih obeležja ljubavi.

Ne zaboravljajmo nikad: ljubav je nežnost. Tvrdokorna duša ne dopušta da je ruka Gospodnja oblikuje u skladu s Njegovim željama.

Putnik je hodao jednim putem na severu Španije kad je spazio nekog seljaka kako leži u vrtu.

– Gnječite cveće – reče mu putnik.

– Ne – odgovori on. – Pokušavam da izvučem nešto od njihove blagosti.

Učitelj kaže:
Moli se svakoga dana. Makar i bez reči, bez molbi, čak i ne shvatajući zašto, potrudi se da ti molitva postane navika. Ako u početku bude teško, predloži samome sebi: „Moliću se svakoga dana cele iduće nedelje." I obnavljaj to obećanje svakih sedam dana.

Imaj na umu da time ne stvaraš samo jednu prisniju vezu sa duhovnim svetom, nego i vežbaš svoju volju. Upražnjavanjem izvesnih postupaka razvijamo disciplinu neophodnu za istinsku životnu borbu.

Ne vredi ti da zaboraviš obećanje pa da se narednog dana moliš dva puta. Takođe nema smisla da izgovoriš sedam molitvi istog dana, i provedeš ostatak nedelje smatrajući da si ispunio svoju dužnost.

Izvesne stvari moraju se događati s pravom merom i u pravom ritmu.

Neki rđav čovek, u času smrti, srete jednog anđela na vratima pakla.

Anđeo mu kaže:

– Dovoljno je da si učinio makar jednu dobru stvar u ovom životu i ta dobra stvar će ti pomoći.

Čovek odgovara:

– Nikad ništa dobro nisam učinio u ovom životu.

– Razmisli malo – navaljuje anđeo.

Čovek se tad priseti da je, jednom prilikom, dok je prolazio kroz neku šumu, ugledao na svom putu pauka – i zaobišao ga izbegavši da ga zgazi!

Anđeo se smeška i jedna nit paučine spušta se sa nebesa da omogući čoveku da se uspne u Raj. Drugi kažnjenici koriste tu priliku da se popnu i oni – ali čovek se okreće i počinje da ih gura jer se plaši da se nit ne prekine.

U tom trenutku nit puca i čovek ponovo biva bačen u pakao.

– Baš šteta – čuje anđela kako mu govori. – Tvoj sebičluk upropastio je jedinu dobru stvar koju si ikada učinio.

Učitelj kaže:
Raskršće je sveto mesto. Tu hodočasnik treba da donese odluku. Zato i bogovi imaju običaj da spavaju i obeduju na raskršćima.

Tamo gde se putevi ukrštaju, sabiraju se dve silne energije – put koji će biti odabran i put koji će biti napušten. Oba ta puta preobražavaju se u jedan jedini – ali samo za kratko vreme.

Hodočasnik može da se odmori, da malo odspava, čak i da se posavetuje s bogovima koji obitavaju na raskršćima. Ali niko tu ne može ostati zauvek: kad jednom načini izbor, mora da nastavi napred ne misleći na put koji je prestao da sledi.

U protivnom, raskršće se pretvara u prokletstvo.

U ime istine ljudski rod je počinio svoje najgore zločine. Muškarci i žene spaljivani su na lomači. Uništena je kultura čitavih civilizacija.

Oni koji su počinili telesne grehe držani su na odstojanju. Oni koji su tražili drugačiji put bivali su potisnuti na marginu društva.

Jedan od njih, u ime „istine", završio je razapet na krstu. Ali – pre no što će umreti – ostavio je veliku definiciju Istine.

Istina nije ono što nam pruža izvesnost.

Nije ono što nam daje dubinu.

Nije ono što nas čini boljim od drugih.

Nije ono što nas drži u tamnici predrasuda.

Istina je ono što nas čini slobodnim.

– Spoznaćete Istinu, i Istina će vas osloboditi – kazao je On.

Jedan od kaluđera u manastiru u Sketi učinio je neki težak propust, i zato pozvaše najmudrijeg isposnika kako bi mogao da mu sudi.

Isposnik se usprotivio, ali oni su toliko navijali da je napokon pošao. Pre polaska, međutim, uzeo je jedno vedro i izbušio ga na raznim mestima. Zatim je napunio vedro peskom i uputio se u manastir.

Čim ga je ugledao, iguman ga upita šta to nosi.

– Došao sam da sudim svom bližnjem – reče isposnik. – Moji grehovi se rasipaju iza mojih leđa, kao što pesak ističe iz ovog vedra. Ali, kako se ne osvrćem za sobom, ne obraćam pažnju na svoje sopstvene grehe, pozvan sam da sudim bližnjem svom!

Istog trenutka monasi odustaše od kazne.

Zapisano na zidu jedne crkvice u Pirinejima:
„Gospode, neka ova sveća koju sam upravo upalio bude svetlost i neka me obasja u mojim odlukama i teškoćama.

„Neka bude vatra kojom ćeš Ti spržiti moj egoizam, oholost i podlosti.

„Neka bude plamen kojim ćeš Ti ogrejati moje srce i naučiti me da volim.

„Ne mogu dugo da se zadržim u Tvojoj crkvi. Ali, ako ostavim ovu sveću, jedan mali deo mene ostaje ovde. Pomozi mi da produžim svoju molitvu u svemu što budem radio danas. Amin."

Jedan putnikov prijatelj odlučio je da provede nekoliko nedelja u nekom manastiru u Nepalu. Jedne večeri uđe u jedan od mnoštva manastirskih hramova i zateče tamo nekog sveštenika kako sedi na oltaru i smeška se.

– Zašto se smeškate? – upita on kaluđera.

– Zato što shvatam značenje banana – reče kaluđer, otvorivši torbu koju je nosio sa sobom i izvukavši iz nje jednu trulu bananu. – Ovo je život koji je prošao i nije bio iskorišćen u pravom trenutku, a sada je već suviše kasno.

Zatim izvadi iz torbe jednu još zelenu bananu.

Pokaza je putniku i zagleda se u nju

– To je život koji se još nije dogodio; treba sačekati pravi trenutak – reče.

Naposletku izvuče jednu zrelu bananu, oljušti je i podeli s mojim prijateljem govoreći:

– Ovo je sadašnji trenutak. Treba da znate da ga proživite bez straha.

Bejbi Konsuelo izašla je sa tačno izbrojanim novcem da vodi sina u bioskop.

Mališan je bio sav srećan i svaki čas je zapitkivao kada će da stignu.

Zaustavivši se na semaforu, videla je jednog prosjaka kako sedi na pločniku – ne tražeći ništa.

– Daj mu sav novac koji si ponela – začula je jedan glas kako joj govori.

Bejbi poče da se raspravlja sa tim glasom – obećala je da će voditi sina u bioskop.

– Daj sve – navaljivao je glas.

– Mogu da dam pola, sin će ući sam, a ja ću čekati na izlazu – reče ona.

Ali glas nije hteo da se upušta u diskusiju:

– Daj sve.

Bejbi nije imala vremena da objasni dečaku: parkirala je kola i dala sav novac prosjaku.

– Bog postoji, a Vi ste mi to pokazali – reče prosjak. – Danas mi je rođendan. Bio sam tužan, postiđen što stalno prosim. Onda sam rešio da ništa ne tražim i pomislio: ako Bog postoji, daće mi neki poklon.

Jedan čovek prolazi kroz neko selo, po najgorem vremenu, i vidi kako jednu kuću zahvata požar.

Kad priđe bliže, primeti nekog drugog čoveka – kome je vatra zahvatila čak i obrve – kako sedi u sobi u plamenu.

– Hej, kuća ti gori! – kaže putnik.

– Znam – odgovori čovek.

– Pa zašto onda ne izađeš?

– Zato što pada kiša – kaže čovek. – Majka mi je rekla da po kiši možemo navući zapaljenje pluća.

Zao Či tumači ovu priču:

„Mudar je onaj čovek koji uspeva da promeni svoje stanje kad vidi da je na to prinuđen."

U nekim magijskim tradicijama učenici odrede jedan dan u godini – ili na kraju nedelje, ukoliko je to potrebno – da bi uspostavili kontakt sa predmetima u svojoj kući.

Dodiruju svaku stvar ponaosob i pitaju naglas:
– Da li mi je ovo zaista potrebno?

Uzimaju knjige sa police:
– Hoću li ikada ponovo čitati ovu knjigu?

Gledaju uspomene koje su sačuvali:
– Da li još uvek smatram važnim trenutak na koji me ovaj predmet podseća?

Otvaraju sve ormare: – Koliko već dugo nisam ovo nosio? Da li mi je baš neophodno?

Učitelj kaže:

Stvari imaju vlastitu energiju. Kad ih ne koristimo, na kraju se preobraze u ustajalu vodu u kući i pogodno mesto za komarce i žabokrečinu.

Treba biti oprezan, dopustiti slobodan protok energije. Ako čuvate ono što je staro, novo nema prostora da se ispolji.

Jedna stara peruanska legenda govori o nekom gradu gde su svi živeli srećno. Njegovi stanovnici radili su ono što su hteli i odlično su se slagali – izuzev poglavara koji je bio tužan i očajan jer nije imao nikakvu vlast.

Zatvor je zvrjao prazan, u sud niko nikad nije kročio, a notaroši su bili besposleni jer je reč vredela više od papira.

Jednoga dana poglavar naloži da se dovedu radnici izdaleka, koji podigoše ogradu oko glavnog gradskog trga; odande su dopirali udarci čekića i zvuk testera koje su rezale drvo.

Posle nedelju dana poglavar sazva sve žitelje grada na svečano otvaranje. Tom prigodom uklonjene su ograde i ukazala su se... vešala.

Ljudi su počeli da se pitaju šta će ta vešala tu. Prestrašeni, počeše da traže pravdu za svaku sitnicu koja je ranije rešavana zajedničkim dogovorom. Obraćali su se notarima da overe dokumenta, dogovore i ugovore koje su ranije sklapali „na reč". I počeli su da slušaju poglavara iz straha od zakona.

Legenda kaže da vešala nikada nisu bila upotrebljena. Ali bilo je dovoljno samo njihovo prisustvo pa da promeni sve.

Nemački psihijatar Viktor Frank opisuje svoje iskustvo iz jednog nacističkog koncentracionog logora: „...podnoseći neku ponižavajuću kaznu jedan zarobljenik reče: 'Ah, kakva sramota kad bi nas naše žene videle u ovom stanju!' Ova opaska podsetila me je na lice moje supruge i istog trenutka izbacila me izvan onog pakla. Volja za životom se povratila govoreći mi da se čovek spasava ljubavlju radi ljubavi.

„Nalazio sam se tamo, trpeći neopisive muke, a ipak sam bio u stanju da razumem Boga jer sam, u mislima, mogao da posmatram lice moje voljene.

„Stražar je naredio da svi stanemo, ali ja nisam poslušao – jer se tog trenutka nisam ni nalazio u onome Paklu. Iako je bilo načina da saznam da li je moja žena živa ili mrtva, to ništa nije menjalo. Dok sam u mislima posmatrao njenu sliku, to mi je vraćalo dostojanstvo i snagu. Čak i kad jednom čoveku sve oduzmu, još uvek mu preostaje srećna mogućnost da se seća voljene osobe – i to ga spasava."

Učitelj kaže:
Odsad pa nadalje – i tokom nekoliko stotina godina – Vaseljena će bojkotovati one koji imaju predrasuda.

Energija Zemlje mora da se obnavlja. Novim idejama potreban je prostor. Telo i duša zahtevaju nove izazove. Budućnost kuca na naša vrata, i sve ideje – izuzev onih koje se zasnivaju na predrasudama – imaće prilike da se pojave.

Ono što bude bilo značajno ostaće; ono što bude bilo izlišno nestaće. Ali neka svako od nas sudi samo o vlastitim postignućima: niko nije sudija tuđih snova.

Da bismo verovali u svoj put ne treba da dokazujemo da je put drugih pogrešan. Ko tako postupa, nema poverenja u sopstvene korake.

Život je kao velika biciklistička trka – čiji je cilj ispunjenje Lične Legende. Na startu, svi smo zajedno – deleći drugarstvo i entuzijazam. Međutim, kako se trka razvija, početna radost ustupa mesto istinskim izazovima: umoru, monotoniji, sumnjama koje se tiču naše vlastite sposobnosti. Zapažamo da su neki prijatelji odustali od izazova – još uvek sudeluju u trci, ali samo zato što ne mogu da se zaustave nasred puta. Njih ima mnogo; voze se tik uz kola za podršku, razgovaraju međusobno i ispunjavaju jednu obavezu.

Na kraju se odvajamo od njih i tada bivamo prinuđeni da se suočimo sa samoćom, iznenađenjima koja donose nepoznate krivine, problemima sa biciklom.

Napokon se upitamo da li se toliki napor uopšte isplati. Da, isplati se. Samo ne treba odustajati.

Učitelj i učenik putovali kroz arabijske pustinje. Učitelj koristi svaki trenutak putovanja da učenika podučava veri.

– Poveri svoje stvari Bogu – kaže on – Bog nikad ne napušta svoju decu.

Svečeri, kad se ulogoriše, Učitelj zamoli učenika da priveže konje za jednu obližnju stenu. Učenik odlazi do stene, ali priseća se Učiteljevih pouka. „On mene iskušava", pomisli. „Treba da poverim konje Bogu." I ostavi konje odvezane.

Izjutra učenik otkriva da su životinje pobegle. Ogorčen, potraži Učitelja.

– Ti ništa ne shvataš o Bogu – pobuni se učenik. – Ja sam Njemu predao konje na čuvanje, a od konja ni traga ni glasa.

– Bog je hteo da se pobrine o konjima – odgovara Učitelj. – Ali, u tom trenutku, bile su Mu potrebne tvoje ruke da bi ih vezao.

– Možda je Isus poslao neke od svojih apostola u pakao da spasavaju duše – kaže Džon. – Čak ni u paklu nije baš sve izgubljeno.

Putnik je iznenađen ovom idejom. Džon je vatrogasac u Los Anđelesu i koristi slobodan dan.

– Zašto si to rekao? – pita.

– Zato što sam iskusio pakao ovde, na zemlji. Ulazim među zgrade u plamenu, vidim izbezumljene ljude kako pokušavaju odande da se izvuku, a vrlo često sam stavljao i život na kocku da bih ih spasao. Ja sam samo sićušna čestica u ovom beskrajnom svemiru, prinuđen da postupam kao junak u mnogim ognjenim paklovima koje poznajem. A ako ja – koji nisam ništa – uspevam tako da se ponašam, zamisli šta sve tek Isus neće učiniti! Nema sumnje, neki od Njegovih apostola ubačeni su u pakao da spasavaju duše.

Učitelj kaže:
Veliki broj primitivnih civilizacija imale su običaj da sahranjuju svoje mrtve u fetalnom položaju. „On se rađa za jedan drugi život i zato ćemo ga postaviti u isti položaj u kojem je bio kad je dolazio na ovaj svet", objašnjavali su. Za te civilizacije, koje su bile u neprestanom dodiru sa čudom preobražavanja, smrt je predstavljala samo jedan korak na dugom putu Vaseljene.

Malo-pomalo svet je gubio prijatnu viziju smrti. Ali nije važno šta mislimo, šta radimo ili u šta verujemo: svi ćemo umreti jednoga dana.

Zato je bolje da postupamo kao stari Jaki Indijanci: da koristimo smrt kao savetnicu. Da uvek pitamo: „Kad mi je već suđeno da umrem, šta treba sada da radim?"

Život nije traženje ili davanje saveta. Ako nam je potrebna pomoć, bolje je da pogledamo kako druge osobe rešavaju, ili ne, svoje probleme.

Naš anđeo je stalno prisutan, i često koristi nečija tuđa usta da bi nam nešto rekao. Ali nam taj odgovor dolazi slučajno, obično onda kad, iako brižni, ne dozvoljavamo da naše brige pomute čudo života.

Pustimo našeg anđela da govori na način na koji je navikao – kad on smatra da je to potrebno.

Učitelj kaže:

Saveti su teorija života – a praksa je, najčešće, sasvim drugačija.

Jedan sveštenik iz Harizmatske obnove u Rio de Žaneiru nalazio se u autobusu kad je začuo neki glas kako mu govori da treba da ustane i propoveda Hristovu reč baš tu gde se zatekao. Sveštenik poče da razgovara sa glasom:
– Ispašću smešan, ovo nije mesto za propovedi.

Ali nešto u njemu je uporno navaljivalo i teralo ga da progovori.

– Ja sam stidljiv, molim te, ne traži to od mene – vapio je on.

Unutrašnji podsticaj nije popuštao.

Tada se sveštenik priseti svog obećanja – da će prihvatiti sve Hristove namere. Ustao je – umiruću od stida – i počeo da govori iz *Jevanđelja*. Svi su slušali u tišini. On bi se zagledao u svakog putnika, i retko ko bi skrenuo pogled. Rekao je sve što je osećao, završio propoved i ponovo seo.

Ni dan-danas ne zna koji je to zadatak ispunio u tom trenutku. Ali je savršeno ubeđen da je ispunio jedan zadatak.

Jedan afrički vrač vodi svog šegrta kroz šumu. Iako je stariji, kreće se hitro, dok se njegov učenik svaki čas spliće i pada. Šegrt psuje, ustaje, pljuje na podmuklu zemlju, i nastavlja da prati svog učitelja.

Posle dugog pešačenja stižu na jedno sveto mesto. Bez zaustavljanja, vrač se okreće i kreće natrag.

– Danas me ničemu niste naučili – kaže šegrt, pošto je još jedanput pao.

– Jesam, i te kako, ali izgleda da ti nećeš da učiš – odgovori vrač. – Pokušavam da ti pokažem kako se izlazi na kraj sa greškama u životu.

– Pa kako!

– Isto onako kao što si morao da se izboriš sa svojim padovima – odgovara vrač. – Umesto da proklinješ mesto gde si pao, trebalo je da obratiš pažnju na ono što te je saplelo.

Opat Pastor sedeo jedne večeri u manastiru u Sketi kad ga poseti jedan isposnik.
– Moj duhovnik ne zna kako da me usmerava – reče pridošlica. – Treba li da ga napustim?
Opat Pastor ne reče ništa, i isposnik se vrati u pustinju. Posle nedelju dana ponovo poseti opata Pastora.
– Moj duhovnik ne ume da me usmerava – reče. – Rešio sam da ga napustim.
– To su mudre reči – odgovori opat Pastor. – Kad čovek uvidi da njegova duša nije zadovoljna, on ne traži savete; sam donosi neophodne odluke kako ne bi skretao sa svog ovozemaljskog puta.

Jedna mlada žena prilazi putniku.
– Hoću nešto da vam ispričam – kaže. Oduvek sam verovala da imam isceliteljsku moć. Ali nisam imala hrabrosti da je na nekome okušam. Sve dok jednog dana, kada je mog muža neizdržljivo bolela leva noga, a nije bilo nikog u blizini da mu pomogne, nisam rešila – umirući od stida – da položim dlanove na njegovu nogu i molim da mu bol prođe.

„Postupila sam tako, ne verujući da ću biti u stanju da mu pomognem, kad sam ga čula kako izgovara molitvu. 'Učini, Gospode, da moja žena bude dostojan prenosilac Tvoje svetlosti, Tvoje Snage', govorio je. Ruka je počela da mi se zagreva i bolovi su brzo uminuli.

„Kasnije sam ga pitala zašto se molio na taj način. A on mi je odgovorio da je time želeo da mi ukaže poverenje. Danas sam u stanju da isceljujem zahvaljujući tim rečima."

Filozof Aristip hvalio je na sva usta dvorsku vlast Dionizija, tiranina iz Sirakuze.

Jednog popodneva naiđe na Diogena koji je spremao sebi skromnu večeru od sočiva.

– Da si hvalio Dionizija, ne bi sad bio prinuđen da jedeš sočivo – reče Aristip.

– Kad bi ti umeo da jedeš sočivo, ne bi bio prinuđen di hvališ Dionizija – odgovori Diogen.

Učitelj kaže:

Istina je da sve ima svoju cenu, ali ta cena je relativna. Kad sledimo svoje snove, drugi mogu steći utisak da smo siromašni i nesrećni. Ali to što drugi misle nema značaja: važna je jedino radost u našem srcu.

Neki čovek nastanjen u Turskoj čuo je za jednog velikog učitelja koji je živeo u Persiji.

Bez oklevanja, rasprodao je sve svoje stvari, oprostio se od porodice i krenuo u potragu za mudrošću.

Putujući tako godinama naposletku je uspeo da stigne pred kolibu u kojoj je stanovao veliki učitelj. Pun strahopoštovanja, prišao je i pokucao.

Veliki učitelj otvori vrata.

– Dolazim iz Turske – reče. – Prevalio sam ovoliki put samo da bih postavio jedno jedino pitanje.

Starac ga pogleda iznenađeno: – U redu. Možeš postaviti samo jedno pitanje.

– Moram biti jasan; mogu li da postavim pitanje na turskom?

– Možeš – reče mudrac – i već sam ti odgovorio na tvoje jedino pitanje. Za sve drugo što budeš želeo da znaš, pitaj svoje srce; ono će ti dati odgovor.

I zatvori vrata.

Učitelj kaže:
Reč je moć. Reči preobražavaju čoveka i svet. Svi smo već slušali istu priču: „Ne sme se govoriti o lepim stvarima koje nam se dešavaju jer će tuđa zavist uništiti našu radost."

Daleko od toga: pobednici s ponosom govore o čudima koja su im se događala u životu. Ako zračiš pozitivnu energiju, ona privlači još pozitivne energije – i raduje one koji nam zaista žele dobro.

Što se pak tiče zavidljivaca, poraženih – oni će moći da ti naude jedino ako im sam podariš tu moć.

Ne boj se. Govori slobodno o lepim stvarima u svom životu svakome ko bude hteo da te sluša. Duši Sveta preko je potrebna tvoja radost.

Bio jedan španski kralj koji se silno ponosio svojom kraljevskom lozom, a bio je poznat i po svojoj svireposti prema slabijima. Jednom prilikom hodao je sa svojom svitom jednim poljem u Aragonu gde je – pre mnogo godina – izgubio oca u jednoj bici.

Tu je zatekao nekog svetog čoveka kako prebira po ogromnoj hrpi kostiju.

– Šta radiš ti tu? – upita kralj.

– Klanjam se, Vaše Veličanstvo – reče sveti čovek.

– Kad sam saznao da će kralj Španije naići ovamo, rešio sam da sakupim kosti vašeg pokojnog oca i da vam ih predam. Međutim, ma koliko ih tražio, ne uspevam da ih nađem: izgledaju isto kao i kosti seljaka, siromaha, prosjaka i robova.

Stihovi afroameričkog pesnika Lengstona Hjuza:
„Poznajem reke.

Poznajem reke drevne kao svet i starije od krvotoka u ljudskim žilama.

Moja je duša duboka kao reke.

Kupao sam se u Eufratu u osvit civilizacija.

Podigao sam svoju kolibu na obali Konga, a njegove su mi vode pevale uspavanku.

Video sam Nil i gradio piramide.

Slušao sam pesmu Misisipija, u doba kad je Linkoln putovao sve do Nju Orleansa, i video sam kako se njegove vode zlate u predvečerje.

Moja je duša postala duboka kao reke."

— Ko je najbolji u rukovanju mačem? – upita ratnik.
— Idi do one livade blizu manastira – reče učitelj. – Tamo postoji jedna stena. Izvređaj je.
— Zašto bih morao to da radim? – upita učenik. – Stena mi nikad neće uzvratiti na uvredu!
— E pa onda je napadni svojim mačem – reče učitelj.
— Tek to neću da činim – odgovori učenik. – Moj mač će se slomiti. A ako je napadnem golim rukama, izranjaviću prste a ništa neću postići. Ja sam pitao nešto drugo: ko je najbolji u rukovanju mačem?
— Najbolji je onaj ko liči na stenu. – reče učitelj. – Ko ne vadeći mač iz korica uspeva da pokaže da niko ne može da ga pobedi.

Putnik stiže u seoce San Martin do Unks, u Navari, i uspeva da pronađe ženu koja čuva ključeve divne romaničke crkve u tom gotovo razrušenom naselju. Vrlo ljubazno, žena se penje uskim uličicama i otvara vrata.

Tama i tišina srednjovekovnog hrama ganuše putnika. Razgovara sa ženom i u jednom trenutku primećuje da, iako je podne, može vrlo malo da se vidi od prekrasnih umetničkih dela koja se unutra nalaze.

„Detalje možemo videti jedino u svitanje", kaže žena „Legenda kaže da su graditelji crkve hteli time da nas pouče da Bog uvek bira pravo vreme da bi nam pokazao svoju veličinu."

Učitelj kaže:
Postoje dva boga. Bog o kome su nas učili naši profesori, i Bog koji nas uči. Bog o kome ljudi obično razgovaraju, i Bog koji razgovara sa nama. Bog koga smo naučili da se bojimo, i Bog koji nam govori o milosrđu.

Postoje dva boga. Bog koji prebiva u visinama, i Bog koji sudeluje u našem svakodnevnom životu. Bog koji naplaćuje naše dugove, i Bog koji nam dugove prašta. Bog koji nam preti kaznama pakla, i Bog koji nam ukazuje na bolji put.

Postoje dva boga. Jedan Bog koji nas kinji našim krivicama, i jedan Bog koji nas oslobađa Svojom ljubavlju.

Pitali jednom vajara Mikelanđela kako je uspeo da stvori tako veličanstvena dela.
– Vrlo jednostavno – odgovori Mikelanđelo. – Kad pogledam neku mermernu gromadu, unutra vidim skulpturu. Sve što treba da učinim jeste da uklonim viškove.

Učitelj kaže:

Postoji jedno umetničko delo koje nam je suđeno da stvorimo.

Ono predstavlja središnu tačku našeg života i – ma koliko se trudili da sami sebe zavaramo – znamo koliko je ono važno za našu sreću. Obično je to umetničko delo pokriveno godinama strahova, krivica, neodlučnosti.

Ali, ako odlučimo da uklonimo te viškove, ako ne sumnjamo u svoju sposobnost, onda smo kadri da sprovedemo u delo misiju koja nam je poverena. A to je jedini način da se živi časno.

Neki starac na samrti pozva jednog mladića i ispriča mu priču o jednom junačkom podvigu: za vreme nekog rata pomogao je jednom čoveku da pobegne. Pružio mu je utočište, hranu i zaštitu. Kad su već stigli na sigurno mesto, taj čovek odluči da ga izda i izruči neprijatelju.

– A kako ste uspeli da se izbavite? – pita mladić.

– Nisam uspeo; ja sam onaj drugi, onaj koji je izdao – kaže starac. – Ali kad pričam tu priču kao da sam se ja poneo kao heroj, u stanju sam da shvatim sve što je on učinio za mene.

Učitelj kaže:
    Svima nama je potrebna ljubav. Ljubav čini deo čovekove prirode – kao i ishrana, piće i spavanje. Često sednemo da posmatramo neki divan zalazak sunca, sami samcati, i pomislimo:
„Sve ovo ništa ne vredi jer nemam s kime da podelim ovoliku lepotu."
U tim trenucima valja se upitati: koliko su nas puta molili za ljubav, a mi smo jednostavno okretali glavu na drugu stranu? Koliko puta smo se plašili da nekome priđemo i kažemo, jasno i glasno, da smo zaljubljeni?
Budite oprezni sa samoćom. Ona je porok i stvara zavisnost kao najopasnije droge. Ako vam se čini da zalazak sunca za vas više nema nikakvog smisla, budite ponizni i krenite u potragu za ljubavlju. Znajte – a to važi i za sva ostala duhovna dobra – što ste više spremni da pružite, više ćete dobiti za uzvrat.

Obilazeći neko špansko ostrvo jedan španski misionar naiđe na tri astečka sveštenika.
– Kako se vi obraćate Bogu? – upita ih fratar.
– Imamo samo jednu molitvu – odgovori jedan od Asteka. Mi kažemo: „Bože, Ti si Trojica, mi smo trojica. Smiluj se na nas."
– Naučiću vas jednu molitvu koju Bog sluša – reče misionar.
Redovnik ih nauči jednu katoličku molitvu i nastavi svoj put.
Pre no što će se vratiti u Španiju, morao je ponovo da prođe pored tog istog ostrva koje je obišao pre nekoliko godina.
Dok se karavela približavala obali, fratar spazi trojicu sveštenika kako hodaju preko vode.
– Oče, oče – reče jedan od njih. – Molim te, nauči nas ponovo onu molitvu koju Bog sluša, jer nismo uspeli da je upamtimo.

– Nije važno – odgovori misionar videvši čudo.

I zamoli Boga da mu oprosti što nije ranije shvatio da On govori sve jezike.

San Huan de la Krus uči da na našem duhovnom putu ne smemo tražiti prikazanja niti slediti svedočanstva drugih koji su prošli taj isti put. Naš jedini oslonac mora biti vera – jer vera je nešto bistro, prozračno, što se rađa u nama i ne može se mešati.

Jedan pisac razgovarao je s nekim sveštenikom i upitao ga šta je iskustvo o Bogu.

– Ne znam – odgovori sveštenik. – Sve što sam do sada stekao bilo je iskustvo o mojoj veri u Boga.

A ono je najvažnije.

Učitelj kaže:
   Praštanje je mač sa dve oštrice.
Uvek kad nekome praštamo, istovremeno praštamo i samima sebi. Ako smo popustljivi prema drugima, biva nam lakše da prihvatimo svoje vlastite greške. I tako, bez krivice i gorčine, uspevamo da popravimo svoje ponašanje prema životu.

Kada – iz slabosti – dopustimo da mržnja, zavist, netrpeljivost zatrepere oko nas, to treperenje nas na kraju uništava.

Petar upita Hrista:
– Učitelju, treba li da oprostim sedam puta svom bližnjem?

A Hristos odgovori:
– Ne samo sedam, već sedamdeset puta.

Čin praštanja pročišćava astralni plan i pokazuje nam istinsku svetlost Božanstva.

Učitelj kaže:
Stari učitelji imali su običaj da stvaraju „likove" kako bi pomogli svojim učenicima da se bore s najmračnijom stranom svoje ličnosti. Mnoge priče vezane za stvaranje likova prerađene su u čuvene bajke.

Postupak je jednostavan: dovoljno je ispričati svoje teskobe, strahove, razočaranja nekom nevidljivom stvorenju koje se nalazi s vaše leve strane. Ono igra ulogu „negativca" u vašem životu, predlažući uvek stavove koje vi ne biste želeli da zauzmete – ali na kraju ipak zauzimate.

Kad ste jednom stvorili takav lik, postaje vam lakše da ne poslušate njegove savete.

To je krajnje jednostavno. I zato tako dobro funkcioniše.

– Kako mogu znati najbolji način postupanja u životu? – upita jedan učenik svog učitelja.

Učitelj mu naloži da napravi jedan sto. Kad je sto bio već skoro gotov – preostalo je još samo da se ukucaju ekseri sa gornje strane – pojavi se učitelj.

Učenik je zakucavao eksere s tri precizna udarca.

Jedan je ekser, međutim, bilo teže ukucati i učenik je morao da ga udari još jednom. Četvrti udarac zakucao je ekser suviše duboko i oštetio drvo.

– Tvoja je ruka navikla na tri udarca čekićem – reče učitelj. – Kad nekom delatnošću ovlada navika, onda ona gubi svoj smisao; i može prouzrokovati štetu.

„Svaka delatnost traži svoje, i tu postoji samo jedna tajna: ne dozvoli nikad da navika upravlja tvojim postupcima."

Nedaleko od grada Sorfije, u Španiji, postoji jedna stara isposnica uklesana u stenu, u kojoj živi – već nekoliko godina – čovek koji je napustio sve da bi se posvetio kontemplaciji. Putnik odlazi da ga poseti jednog popodneva ove jeseni; primljen je krajnje gostoljubivo.

Pošto je podelio s njime komad hleba, isposnik ga zamoli da zajedno pođu do obližnjeg potoka i uberu malo jestivih gljiva.

Na putu, priđe im neki mladić.

– Sveti čoveče – reče – čuo sam da, ako hoćemo da dosegnemo prosvetljenje, ne smemo jesti meso. Je li to istina?

– Prihvati s radošću sve što ti život pruža – odgovara čovek. – Nećeš zgrešiti protiv duha, ali takođe nećeš uvrediti ni velikodušnost zemlje.

Učitelj kaže:
Ako je put isuviše naporan, potrudi se da čuješ svoje srce. Potrudi se da budeš krajnje pošten prema sebi, da ustanoviš da li zaista slediš svoj put, plaćajući cenu svojih snova.

Ako i pored toga život nastavi da te šiba, nastupa trenutak kad moraš da se pobuniš. Učini to s puno poštovanja, kao što se sin protivi ocu, ali nemoj prestati da tražiš malo više pažnje i pomoći. Bog je i otac i majka, a roditelji uvek očekuju sve najbolje od svog deteta. Može se desiti da te to iscrpi, ali ništa te ne košta da zatražiš predah, malo nežnosti. Ipak, nemoj nikad preterivati. Jov se požalio u pravi čas, i dobio je natrag svoja blaga.

Al Afid je navikao da se žali na svaku sitnicu, i Bog je prestao da ga sluša.

Fešte u Valensiji, u Španiji, imaju jedan čudan ritual, koji potiče od zajednice stolara.

Tokom cele godine zanatlije i umetnici grade gigantske skulpture od drveta. U nedelji fešte odnose te skulpture u centar gradskog trga. Osobe prolaze, komentarišu, dive se i bivaju dirnute tolikom kreativnošću. Onda, na dan Sv. Žozea, sva ta umetnička dela se spaljuju – osim jednog – na džinovskoj lomači, pred hiljadama radoznalaca.

– Čemu toliki zaludan trud? – upita jedna Engleskinja dok su ogromni plameni jezici suklali prema nebu.

– I vi ćete jednog dana skončati – odgovori jedna Španjolka. – Jeste li već zamislili da će tog trenutka neki anđeo upitati boga: „Čemu toliki zaludan trud?"

Neki vrlo pobožan čovek našao se odjedared lišen sveg svog bogatstva. Znajući da je Bog u stanju da mu pomogne u svakoj prilici, stade da se moli:

– Gospode, učini da dobijem na lutriji – tražio je on.

Molio se tako godinama, i ostajao siromašan.

Naposletku, dođe mu i smrtni čas, i kako je bio vrlo pobožan, ode pravo na nebo.

Kad stiže tamo, odbi da uđe. Reče da je proživeo čitav život u skladu sa verskim propisima koje je naučio, a da mu Bog nikad nije pomogao da dobije na lutriji.

– Sve što je Gospod obećao bila je puka laž – reče čovek, ogorčen.

– Uvek sam bio spreman da ti pomognem da dobiješ – odgovori Gospod. – Međutim, ma koliko da sam želeo da ti pomognem, ti nikad nisi kupio loz.

Jedan stari kineski mudrac hodao preko snežnog polja kad spazi neku ženu kako plače.
– Zašto plačeš? – upitao on.
– Zato što se sećam prošlosti, svoje mladosti, lepote koju sam gledala u ogledalu, ljudi koje sam volela. Bog je bio okrutan prema meni jer mi je dao pamćenje. On je znao da ću se sećati proleća svog života, i plakati.

Mudrac stade da posmatra snežno polje, zureći netremice u jednu tačku. U neko doba žena prestade da plače.
– Šta vidiš tamo? – upita.
– Polje ruža – reče mudrac. – Bog je bio velikodušan prema meni jer mi je dao pamćenje. On je znao da ću zimi moći uvek da se sećam proleća, i da se smešim.

Učitelj kaže:
Lična Legenda nije tako jednostavna kao što izgleda. Naprotiv, to može biti čak i opasna delatnost.

Kada nešto želimo, stavljamo silnu energiju u pogon, i više ne možemo tajiti sami od sebe pravi smisao našeg života.

Kad nešto želimo, vršimo izbor cene koju treba platiti.

Slediti jedan san podrazumeva određenu cenu. Može zahtevati od nas da napustimo stare navike, može nas uvaliti u teškoće, doneti razočaranja itd.

Ali ma koliko bila visoka ta cena, uvek je niža od one koju plaća neko ko nije proživeo svoju Ličnu Legendu. Jer će taj jednog dana da se osvrne za sobom, da vidi sve ono što je učinio i začuje svoje srce kako kaže: „Proćerdao sam svoj život."

Verujte, to je jedna od najgorih rečenica koje čovek može čuti.

U jednoj od svojih knjiga Kastaneda piše da mu je jednom njegov učitelj naložio da opaše kaiš na pantalonama u suprotnom smeru od uobičajenog. Kastaneda tako postupi, ubeđen da će time steći neku naročitu moć.

Posle nekoliko meseci objasnio je svom učitelju da je zahvaljujući tom magijskom činu počeo da uči brže nego pre.

– Kad sam promenio smer opasača, preobratio sam negativnu energiju u pozitivnu – reče.

Učitelj se slatko nasmeja.

– Opasači nikada ne menjaju energiju! Rekao sam ti da to uradiš kako bi uvek, kad god obučeš pantalone, osetio da činiš jedan novi korak u savlađivanju magijskog nauka. Nije te pojas doveo do novih saznanja, nego svest o učenju.

Jedan učitelj imao je na stotine učenika. Svi su se molili u određeno vreme – izuzev jednoga koji je provodio život u pijanstvu.

Kad mu je kucnuo samrtni čas, učitelj je pozvao pijanog učenika i preneo mu tajna znanja.

Ostali se pobuniše.

– Sramota jedna! – rekoše. – Znači, žrtvovali smo se za pogrešnog učitelja koji ne ume da vidi naše vrline.

A Učitelj reče:

– Morao sam da prenesem te tajne nekome koga dobro poznajem. Oni koji izgledaju puni vrlina, obično prikrivaju taštinu, oholost, netrpeljivost. Zato sam izabrao jedinog učenika kod koga sam mogao uočiti manu: pijanstvo.

Reči cistercitskog sveštenika Markosa Garsije:
„Ponekad Bog povuče određeni blagoslov da bi neka osoba mogla da ga razume i mimo blagonaklonosti i molbi. Bog zna do koje mere može kušati jednu dušu – i nikad ne prelazi tu granicu. U tim trenucima nemojmo nikad govoriti: 'Bog me je napustio.' On to nikada ne čini: mi smo ti koji možemo, ponekad, da napustimo Njega. Ako nam Gospod nameni neko veliko iskušenje, on nam takođe pruži i dovoljno sredstava – a ja bih rekao i više nego dovoljno – da ga prevaziđemo.

„Kad osetimo da smo se udaljili od njegovog lica, moramo se zapitati: jesmo li umeli da iskoristimo ono što je On postavio na našem putu?"

Ponekad provedemo čitave dane ili nedelje ne primivši nijedan gest pažnje od bližnjih. To su teški periodi, kad ljudska toplina iščezava, a život se svodi na tegobni napor pukog preživljavanja.

Učitelj kaže:

Moramo se starati o sopstvenom ognjištu. Moramo dodati još drva, i pokušati da osvetlimo mračnu odaju u koju se naš život preobrazio. Kad začujemo kako naša vatra bukti, kako drvo pucketa, kad začujemo priče koje nam plamen pripoveda, nada će nam biti ponovo vraćena.

Ako smo kadri da volimo, bićemo kadri i da budemo voljeni. To je samo pitanje vremena.

Neko je razbio čašu za večerom.
— To je dobar znak — objasniše.
Svi prisutni znali su za to verovanje.
— Zašto je to dobar znak? — upita jedan rabin koji se nalazio u društvu.
— Ne znam — reče putnikova žena. — Možda je to deo nekog starovremenskog običaja da se gostu uvek učini po volji.
— To nije pravo objašnjenje — odgovori rabin. — Pojedina hebrejska predanja kažu da je svakom čoveku data određena količina sreće koju će iskoristiti tokom života. Može postupiti tako da ta sreća uvek donosi dobit, ukoliko je koristi samo za one stvari koje su mu zaista neophodne — a može je i traćiti šakom i kapom.
„I mi, Jevreji, takođe kažemo 'dobar znak' kad neko razbije čašu. Ali to znači: baš dobro, nisi protraćio svoju sreću nastojeći da sprečiš lomljene jedne čaše. Znači, moći ćeš da je iskoristiš za važnije stvari."

Otac Avram je saznao da blizu manastira u Sketi živi jedan pustinjak čuven po svojoj mudrosti.

Ode da ga poseti i upita ga:

– Kad biste danas zatekli lepu ženu u svojoj postelji, da li biste uspeli da ubedite sebe da to nije žena?

– Ne – odgovori mudrac – ali uspeo bih da vladam sobom.

Opat nastavi:

– A kad biste ugledali zlatnike u pustinji, da li biste uspeli da gledate to zlato kao da je obično kamenje?

– Ne bih – reče mudrac – ali uspeo bih da sebe obuzdam da ih ne uzmem.

Opat Avram je i dalje navaljivao:

– A kad bi k vama došla dva brata, jedan koji vas mrzi i drugi koji vas voli, da li biste uspeli da ih smatrate jednakima?

A mudrac reče:

– Čak i ako bih zbog toga patio u sebi, ophodio bih se prema onome koji me voli isto kao i prema onome koji me mrzi.

– Objasniću vam šta je mudrac – reče opat svojim iskušenicima kad se vratio u manastir. – To je onaj ko, umesto da guši svoje strasti, uspeva njima da vlada.

V. Frazije pisao je čitavog života o osvajanju američkog Zapada. Ponosan što je na osnovu njegovog svedočanstva snimljen film u kojem je glavni glumac bio Gari Kuper, kaže da je retko kad u životu nešto uspelo da ga ozlovolji.

– Naučio sam štošta od američkih pionira – kaže. – Borili su se protiv urođenika, prelazili pustinje, tražili vodu i hranu u dalekim oblastima. A svi zapisi iz tog vremena pokazuju jednu neobičnu sličnost: pioniri su pisali ili razgovarali samo o lepim stvarima. Umesto da jadikuju, bavili su se muzikom i zbijali šale na račun teškoća s kojima su se suočavali. Tako su uspevali da odagnaju malodušnost i potištenost. A ja i dan-danas, sa svojih osamdeset osam godina, pokušavam da se tako ponašam.

Ovo je parafraza jedne pesme Džona Muira:
„Želim da mi duša ostane slobodna kako bi mogla da uživa sve darove koje duhovi poseduju.

Kad to postane moguće, neću nastojati da upoznam kratere na Mesecu niti ću pokušavati da pratim zrake do njihovog izvora. Neću nastojati da dokučim lepotu zvezde niti izveštačeno očajanje ljudskog bića.

Kad budem umeo da oslobodim svoju dušu, pratiću zoru i trudiću se da putujem s njom kroz vreme.

Kad budem umeo da oslobodim svoju dušu, uroniću u magnetne struje jednog okeana gde se sve vode susreću i obrazuju Dušu Sveta.

Kad budem umeo da oslobodim dušu svoju, potrudiću se da pročitam sjajnu stranicu Stvaranja od početka".

Jedan od svetih simbola hrišćanstva jeste figura pelikana. Objašnjenje je jednostavno: u potpunoj nestašici hrane, pelikan otvara kljunom svoje grudi i nudi vlastito meso svojim mladuncima.

Učitelj kaže:

Vrlo često nismo u stanju da razumemo blagodeti koje primamo. Često ne shvatamo šta je On učinio da bi nas snabdeo duhovnom hranom.

Postoji jedna priča o pelikanu koji, tokom jedne ljute zime, uspeva da nadživi sopstveno žrtvovanje nekoliko dana, nudeći vlastito meso mladuncima. Kada, naposletku, umire od slabosti, jedan mladunac kaže drugom:

– Baš dobro. Već mi je dojadilo da svakoga dana jedem jedno te isto.

Ako ste nečim nezadovoljni, čak i kad je u pitanju neka dobra stvar koju biste želeli da ostvarite, a ne uspevate – prekinite smesta.

Ako stvari ne idu, postoje samo dva objašnjenja: ili je vaša istrajnost stavljena na probu, ili morate promeniti pravac.

Da biste otkrili koja je opcija tačna – pošto je reč o stavovima – koristite ćutanje i molitvu. Malo-pomalo stvari će se razjasniti na neki volšeban način, tako da ćete imati dovoljno snage da odaberete.

Kad jednom donesete odluku, potpuno zaboravite drugu mogućnost. I nastavite napred, jer Bog je Bog Odvažnih.

Domingus Sabino kaže:

– Sve se na kraju dobro svršava. Ako stvari nisu u redu, to znači da još niste dospeli do kraja.

Kompozitor Nelson Mota nalazio se u Baiji kad je rešio da poseti Majku Menininju do Gantois. Seo je u taksi, ali na putu vozaču otkazaše kočnice. Kola su ševrdala po kolovozu velikom brzinom ali – izuzev toga – ništa se ozbiljno nije desilo.

Čim se sreo sa Majkom Menininjom, prvo što joj je ispričao bila je nesreća na putu koju je za dlaku izbegao.

– Postoje izvesne stvari koje su nam pisane, ali Bog se postara da prođemo kroz njih bez ikakvih ozbiljnih problema. Drugim rečima, bilo je suđeno da ti se desi saobraćajna nesreća u ovom periodu tvog života – reče ona. – Ali, kao što vidiš – zaključi Mati Menininja – sve se desilo i nije se desilo ništa.

– Nešto je nedostajalo u vašoj propovedi o Putu za Santjago – reče jedna hodočasnica putniku čim su izašli sa predavanja. – Primetila sam da većina hodočasnika – bilo na putu za Santjago, bilo na putevima života – uvek nastoji da prati ritam drugih – kaže ona.

„Na početku mog hodočašća pokušavala sam da držim korak sa mojom grupom. Umarala sam se, zahtevala od svog tela više no što ono može da pruži, bila sam sva napeta i na kraju su mi se javile tegobe u peti leve noge.

Pošto sam dva dana bila sprečena da hodam, shvatila sam da ću stići u Santjago jedino ako se budem povinovala svom vlastitom ritmu.

Zadržala sam se na putu duže od ostalih, morala sam sama da prevaljujem mnoge deonice – ali samo zato što sam poštovala svoj sopstveni ritam uspela sam da stignem na cilj.

Otada primenjujem ovo načelo na sve što moram da uradim u životu".

Krez, lidijski kralj, odlučio je da napadne Persijance – ali je ipak rešio da se prethodno obrati za savet nekom grčkom proročištu.

– Tebi je suđeno da uništiš jedno veliko carstvo – glasio je odgovor proročišta.

Zadovoljan njime, Krez objavi rat. Posle dva dana borbe Lidiju osvojiše Persijanci, njenu prestonicu poharaše, a samog Kreza zarobiše. Ogorčen, Krez zaduži svog predstavnika u Grčkoj da se vrati u svetilište i kaže da su bili obmanuti.

– Ne, niste bili obmanuti – odgovori svetilište poslaniku. – Uništili ste jedno veliko carstvo: Lidiju.

Učitelj kaže:

Jezik znakova je pred nama da bi nas podučio najboljem načinu delanja. Međutim, vrlo često nastojimo da izokrenemo te znakove – kako bi se „slagali" s onim što želimo da učinimo po svaku cenu.

Buskalja prenosi priču o četvrtom svetom kralju koji je takođe ugledao zvezdu kako blista iznad Vitlejema – ali je uvek stizao sa zakašnjenjem na mesta gde se Isus mogao nalaziti, jer su ubožnici i siromasi živeli od njegove pomoći.

Pošto je trideset godina išao Isusovim tragom kroz Egipat, Galileju, Vitaniju, sveti kralj napokon stiže u Jerusalim; no, suviše je kasno – dečak se već odavno preobrazio u čoveka, i toga dana ga razapinju. Kralj je kupio bisere za Hrista, ali morao je gotovo sve da rasproda kako bi pomogao osobama koje je sretao na svom putu. Preostao mu je samo jedan biser – a Spasitelj je već mrtav.

– Propustio sam da ispunim svoju životnu misiju – misli sveti kralj.

Tog trenutka, začuje neki glas:

– Suprotno onome što misliš, sretao si me čitavog svog života. Bio sam go, a ti si me odenuo. Bio sam gladan, a ti si me nahranio. Bio sam zarobljen, a ti si me posetio. Ja sam bio u svim onim siromasima na tvom putu. Najlepša ti hvala za tolike darove ljubavi.

Jedna naučnofantastična priča govori o nekom društvu u kojem se gotovo svi rađaju spremni za određenu dužnost; tehničari, inženjeri i mehaničari. Samo malobrojni su se rađali bez ikakve sposobnosti; neke su smeštali u azil za umobolne jer su jedino ludaci bili nesposobni da pruže bilo kakav doprinos društvu.

Jedan od ludaka se pobuni. U azilu je postojala biblioteka i on nastoji da nauči sve što može o nauci i umetnosti.

Kad mu se učinilo da već dovoljno zna, odlučuje da beži, ali biva uhvaćen i odveden u jedan studijski centar izvan grada.

– Dobro nam došao – kaže jedan od rukovodilaca centra. – Najviše se divimo upravo onima koji su prinuđeni da otkriju vlastiti put. Od sad pa nadalje možete raditi šta god želite, jer zahvaljujući osobama kao što ste vi svet uspeva da ide napred.

Pred polazak na dalek put trgovac ode da se oprosti sa ženom.

– Nikad mi nisi dao nijedan dar dostojan mene – reče ona.

– Nezahvalna ženo, sve što sam ti dao koštalo me je godine i godine rada – odgovori čovek. – Šta bih još mogao da ti dam?

– Nešto što bi bilo lepo kao ja.

Dve godine žena je čekala svoj poklon.

Napokon, trgovac se vratio.

– Uspeo sam da nađem nešto što je isto tako lepo kao ti – reče on. – Plakao sam zbog tvoje nezahvalnosti, ali rešio sam da ti ispunim želju. Sve ovo vreme pitao sam se koji bi to poklon bio tako lep kao ti, ali sam ga na kraju pronašao.

I pruži ženi jedno ogledalce.

Nemački filozof F. Niče jednom prilikom je rekao: „Ne vredi živeti raspravljajući o svemu; u ljudskoj je prirodi da s vremena na vreme greši."

Učitelj kaže:

Postoje osobe kojima je stalo da po svaku cenu budu sigurne u najsitnije pojedinosti. I mi sami, vrlo često, ne dopuštamo sebi pravo na grešku.

Jedino što postižemo takvim ponašanjem jeste strah od kretanja napred.

Strah od greške to su vrata koja nas drže zatočene u zamku osrednjosti. Ako uspemo da pobedimo taj strah, činimo značajan korak u pravcu svoje slobode.

Jedan mladi iskušenik upita opata Nisterosa iz manastira u Sketi:
– Šta treba da radim da bih umilostivio Boga?
– Avram je primao strance, i Bog je bio zadovoljan. Elija nije voleo strance, i Bog je bio zadovoljan. David se dičio onim što je radio, i Bog je bio zadovoljan. Zakupnik poreza se pred oltarom postideo onoga što je radio, i Bog je bio zadovoljan. Jovan Krstitelj je otišao u pustinju, i Bog je bio zadovoljan. Jona je otišao u veliki grad Ninivu, i Bog je bio zadovoljan.

„Pitaj svoju dušu šta joj je po volji da radi.

„Kad duša ide ukorak sa svojim snovima, ona pričinjava radost Bogu."

Jedan budistički učitelj putovao pešice sa svojim učenicima, kad primeti da ovi raspravljaju ko je najveći među njima.

– Upražnjavam meditaciju već petnaest godina – govorio je jedan.

– Činim milosrdna dela otkako sam napustio roditeljski dom – rekao je drugi.

– Uvek sam sledio Budina učenja – tvrdio je treći.

U podne, zaustaviše se u hladu jedne jabuke da se odmore. Grane su bile krcate i povijale su se do zemlje pod teretom plodova.

Tada učitelj progovori:

– Kad je jedno drvo krcato plodovima, njegove grane se povijaju i dotiču zemlju. Isto tako, pravi mudrac je onaj ko je ponizan.

„Kad drvo nema plodova, njegove grane su nadmene i ohole. Isto tako, budala uvek veruje da je iznad svog bližnjeg."

Na poslednjoj večeri Hristos je optužio, s podjednakom težinom – i u istoj rečenici – dvojicu svojih apostola. Obojica su počinili zločine koje je Isus predvideo. Juda Iskariotski je spoznao svoju grešku, i samom sebi presudio. Petar je takođe uvideo šta je učinio, pošto je tri puta porekao sve ono u šta je verovao.

Ali, u odsudnom trenutku, Petar je shvatio pravi smisao Isusove poruke. Pokajao se, nastavio dalje, iako ponižen.

I on je mogao da izabere samoubistvo. Umesto toga, suočio se licem u lice sa ostalim apostolima, i verovatno im je rekao nešto poput ovog:

„Dobro, govorite o mom nedelu dok je sveta i veka, ali dozvolite mi da ga ispravim."

Petar je shvatio da Ljubav prašta. Juda nije shvatio ništa.

Jedan slavni pisac šetao s nekim prijateljem kad spazi jednog dečaka kako prelazi ulicu ne primećujući kamion koji je nailazio punom brzinom. U deliću sekunde, pisac se baci ispred vozila i uspeva da spase dečaka. Ali pre no što je iko stigao da mu čestita na junačkom podvigu pisac ošamari dečaka:

– Nemoj da te privid zavarava, sinovac – reče. – Spasao sam te samo zato da ne bi mogao da izbegneš probleme koji te čekaju kad odrasteš.

Učitelj kaže:

Ponekad se stidimo da učinimo dobro. Naše osećanje krivice stalno nastoji da nam kaže da, kada postupamo velikodušno, time zapravo pokušavamo da impresioniramo druge, da „podvaljujemo" Bogu itd. Izgleda da nam je teško da prihvatimo činjenicu da je naša duša suštinski dobra. Prikrivamo plemenite gestove ironijom i nipodaštavanjem – kao da je ljubav sinonim za slabost.

On pogleda trpezu, razmišljajući šta bi bio najbolji simbol njegovog bavljenja na Zemlji. Imao je pred sobom darove iz Galileje, začine iz pustinje na Jugu, suvo voće iz Sirije, urme iz Egipta.

Mora da je već pružio ruku kako bi posvetio jednu od tih stvari kad se, najednom, prisetio da je poruka koju nosi namenjena svim ljudima, na svim mestima, a urme možda ne postoje u pojedinim krajevima sveta.

Ponovo se osvrnuo oko Sebe, i pade mu na um druga misao: u narovima, urmama, voću čudo Stvaranja ispoljavalo se samo po sebi – bez ikakvog ljudskog učešća.

Tada je uzeo hleb, blagoslovio ga, razlomio i razdelio svojim učenicima govoreći:

– Uzmite i jedite svi vi, jer ovo je moje telo.

Jer hleba je bilo svuda. I hleb je, za razliku od urmi, narova i voća iz Sirije, bio najbolji simbol puta ka Bogu.

Hleb je bio plod zemlje i RADA čovekovog.

Mađioničar se zaustavlja nasred trga, uzima tri pomorandže i počinje da ih baca uvis. Oko njega se okupljaju ljudi, obraćaju pažnju na ljupkost i eleganciju njegovih pokreta.

– Život je manje-više takav – primeti neko obraćajući se putniku. – Imamo uvek po jednu pomorandžu u svakoj ruci, a jedna je u vazduhu; i u tome leži sva razlika. Bačena je s puno veštine i iskustva, ali ima svoju vlastitu putanju.

Poput mađioničara, i mi bacamo jedan san u svet, a nemamo uvek vlast nad njim. U tim trenucima treba da budemo spremni da taj san prepustimo Bogu i da se molimo da, kad za to dođe vreme, časno obavi svoj put i padne ostvaren, nazad u naše ruke.

Jedna od najmoćnijih vežbi duhovnog usavršavanja sastoji se u tome da obraćamo pažnju na stvari koje činimo mehanički – kao što su disanje, treptanje očima ili opažanje stvari koje nas okružuju.

Kad tako postupamo, omogućavamo našem mozgu da slobodnije radi – bez uplitanja naših želja. Pojedini problemi koji su izgledali nerešivi na kraju bivaju rešeni; pojedine teškoće koje smo smatrali nesavladivim iščezavaju same od sebe.

Učitelj kaže:

Kad treba da se suočite s nekom teškom situacijom, pokušajte da primenite ovu tehniku. Ona zahteva malo discipline, ali rezultati su iznenađujući.

Neki čovek stoji na vašaru i prodaje vaze. Prilazi jedna žena i razgleda robu. Neki komadi su bez crteža, drugi su brižljivo ukrašeni.

Žena pita za cenu vaza. Na svoje iznenađenje, saznaje da sve koštaju isto.

– Kako jedna ukrašena vaza može koštati kao druga, obična? – pita ona. – Zašto tražiti isto za rad koji je zahtevao više vremena?

– Ja sam umetnik – odgovori prodavac. – Mogu da tražim novac za vazu koju sam napravio, ali ne i za njenu lepotu. Lepota je badava.

Po izlasku sa mise putnik se osećao usamljen. Najednom, priđe mu jedan prijatelj:
– Moram da razgovaram s tobom – reče.

Putnik je u tom susretu video neki znak, i toliko se obradovao da je počeo da priča o svemu što je smatrao važnim. Govorio je o Božjim blagoslovima, o ljubavi, rekao je da mu je prijatelja poslao sam anđeo – jer toliko je bio usamljen pre nekoliko trenutaka, a sada ima društvo.

Drugi je sve to slušao bez reči, zahvalio i otišao.

Umesto radosti, putnik se osetio usamljeniji nego ikad. Tek kasnije je uvideo – u svom oduševljenju oglušio se o molbu svog prijatelja koji je želeo nešto da mu kaže.

Putnik pognu glavu, pa vide svoje reči razbacane po pločniku – jer je u tom času Vaseljena želela nešto drugo.

Tri vile bile su pozvane na krštenje jednog kraljevića. Prva ga je obdarila sposobnošću da pronađe svoju ljubav. Druga mu je darivala novac da može da radi sve što mu je volja. Treća ga je obdarila lepotom.

Ali – kao u svakoj priči za decu – pojavila se i veštica. Sva besna što je nisu pozvali, bacila je prokletstvo:

– Pošto već imaš sve, ja ću ti dati još više. Imaćeš dara za sve što budeš radio.

Kraljević je porastao lep, bogat i strastan. Ali nikad nije uspeo da ispuni svoju misiju na Zemlji. Bio je vrstan slikar, vajar, pisac, muzičar, matematičar – ali nije uspevao da završi nijedan zadatak jer bi se brzo zasitio i poželeo da radi nešto sasvim drugo.

Učitelj kaže:

Svi putevi vode na isto mesto. Ali ti izaberi svoj, i idi do kraja – ne pokušavaj da slediš sve puteve.

Jedan anonimni spis iz XVIII veka govori o nekom ruskom kaluđeru koji je tražio duhovnog vođu.

Jednoga dana rekoše mu da u izvesnom selu postoji jedan isposnik koji se danonoćno posvećuje spasenju svoje duše. Čuvši to, kaluđer potraži svetog čoveka.

– Želim da me vodite na putevima duše – reče kaluđer.

– Duša ima svoj vlastiti put, a anđeo je vodi – odgovori pustinjak. – Moli se bez prestanka.

– Ne umem tako da se molim. Hoću da me naučite.

– Ako ne umeš da se moliš neprestano, onda moli Boga da te nauči da se moliš neprestano.

– Ništa me niste naučili – odgovori kaluđer.

– Nema tu šta da se nauči, jer se Vera ne može prenositi kao što se prenose matematička znanja. Prihvati tajnu Vere i vaseljena će se sama otkriti.

Kaže Antonio Maćado:

> „Skok po skok, korak po korak,
> Putniče, puta nema,
> put se hodanjem utire.
> Hodanjem, nastaje put,
> a ako se osvrneš za sobom,
> sve što ćeš videti biće tragovi
> koje će tvoji koraci jednoga dana
> ponovo za sobom ostaviti.
> Putniče, puta nema,
> put se hodanjem utire!"

Učitelj kaže:
Piši. Bilo pismo ili dnevnik, ili pak neke beleške dok razgovaraš telefonom – ali piši.

Pisanje nas približava Bogu i bližnjima.

Ako želiš bolje da shvatiš svoju ulogu u svetu, piši. Pokušaj da svoju dušu pretočiš u pisanu reč, čak i ako niko to neće čitati – ili, što je još gore, čak i ako neko na kraju pročita nešto što ne želiš. Sam čin pisanja pomaže nam da sredimo misli i da jasno sagledamo ono što nas okružuje. Parče hartije i olovka čine čuda – leče od bolova, učvršćuju snove, odnose i donose izgubljenu nadu.

Reč ima moć.

Kaluđeri iz pustinje tvrdili su da je neophodno pustiti ruku anđela da radi. Zbog toga su, s vremena na vreme, činili besmislice – kao što je razgovaranje sa cvećem ili smejanje bez razloga. Alhemičari slede „Božje znakove"; tragove koji vrlo često nemaju smisla, ali na kraju ipak nekud odvedu.

Učitelj kaže:

Ne plaši se da će te nazvati ludim – učini danas nešto što se ne slaže s logikom koju si usvojio. Suprotstavi se malo ozbiljnom ponašanju kome su te naučili. Ta mala stvar, ma koliko bila beznačajna, može otvoriti vrata koja vode u veliku pustolovinu – ljudsku i duhovnu.

Neki čovek vozio luksuzni mercedes benc kad mu se probuši guma. Kad je pokušao da je promeni, otkrio je da nema ručnu dizalicu.

– Nema veze, zakucaću na vrata i zamoliti da mi pozajme – misli dok ide da potraži pomoć. – Možda će čovek, kad vidi moja kola, hteti da mi naplati uslugu – kaže u sebi. – Ovakva kola, a meni treba dizalica; tražiće mi deset dolara. Ne, možda će tražiti pedeset jer zna da mi je dizalica neophodna. Gledaće da što više ućari; možda traži čak i sto dolara.

I, što duže ide, cena sve više raste.

Kad stiže do kuće, gazda otvori vrata a on povika:

– Vi ste lopov! Jedna dizalica ne vredi toliko! Slobodno je zadržite!

Milton Erikson je autor jedne nove terapije koja počinje da stiče hiljade pristalica u SAD. Kao desetogodišnji dečak postao je žrtva poliomijelitisa. Nakon deset meseci borbe sa bolešću čuo je jednog lekara kako kaže njegovim roditeljima:

– Vaš sin neće pregurati ovu noć.

Odmah zatim Erikson začu plač svoje majke.

– Ko zna, ako preguram ovu noć, ona možda neće toliko patiti – pomisli.

I odluči da ne spava dok ne svane dan.

Izjutra viknu majci:

– Hej, još sam živ!

U kući je zavladala tolika radost da je on, od tog trenutka, rešio da uvek izdrži još jedan dan, kako bi odložio patnju roditelja.

Umro je sa sedamdeset pet godina, 1990, ostavivši niz značajnih knjiga o neizmernoj sposobnosti kojom čovek raspolaže u savlađivanju vlastitih ograničenja.

– Sveti čoveče – reče jedan mladi iskušenik opatu Pastoru – srce mi je puno ljubavi prema svetu, a duša čista od iskušenja nečastivog. Koji je moj sledeći korak?

Opat zamoli učenika da pođe s njim u posetu jednom bolesniku kome je bila potrebna poslednja pomast.

Pošto je utešio porodicu, opat zapazi neki kovčeg u jednom uglu kuće.

– Šta je u onom kovčegu? – upita.

– Odeća koju moj ujak nikad nije nosio – reče bolesnikov sestrić. – Uvek je smatrao da će iskrsnuti prava prilika da je obuče, ali ona je na kraju istrulila tamo unutra.

– Ne zaboravi na onaj kovčeg – reče opat Pastor svom učeniku kad iziđoše iz kuće. – Ako nosiš u svom srcu duhovna blaga, počni odmah da ih koristiš. U protivnom, ona će istrunuti.

Mističari kažu da, kad započnemo naš duhovni put, osećamo neodoljivu želju da razgovaramo sa Bogom – a sve se završi tako što ne čujemo ono što On ima da nam kaže.

Učitelj kaže:

Opustite se malo. To nije lako; osećamo prirodnu potrebu da uvek činimo pravu stvar, a smatramo da ćemo to postići ukoliko radimo bez prestanka.

Važno je pokušavati, padati, ustajati i nastavljati napred. Ali dopustimo da nam Bog pomogne. Usred nekog velikog napora zagledajmo se u sebe, pustimo da nam se On pokaže i da nas vodi.

Dozvolimo, s vremena na vreme, da nas On uzme u naručje.

Neki mladić, koji je želeo da sledi duhovni put, potraži jednog opata iz manastira u Sketi.

– U periodu od godinu dana platićeš po novčić svakome ko nasrne na tebe – reče opat.

Dvanaest meseci mladić je redovno plaćao kad god bi ga neko napao. Po isteku te godine, vrati se kod opata da pita za sledeći korak.

– Otidi do grada da mi kupiš hranu – reče opat.

Čim je mladić izašao, opat se preruši u prosjaka i – idući jednom tajnom prečicom – stiže pred gradsku kapiju. Čim ugleda mladića, poče da ga saleće.

– Kakva sreća! – reče mladić tobožnjem prosjaku.

– Cele godine morao sam da plaćam svima koji su me napadali, a sada me mogu spopadati za badava, da me to ništa ne košta!

Začuvši ove reči, opat skide prosjačko ruho.

– Sad si spreman za sledeći korak jer uspevaš da se smeješ problemima – reče.

Šetao putnik ulicama Njujorka sa dvojicom prijatelja. Najedanput, usred najobičnijeg razgovora, njih dvojica počeše da se raspravljaju i umalo se ne potukoše.

Malo kasnije, kad su se već smirili, sedoše u kafanu. Jedan od njih zamoli drugog za oproštaj:

– Primetio sam da je vrlo lako povrediti osobe koje su nam bliske – reče. – Da si ti neki tuđinac, ja bih se mnogo više ustručavao.

„Međutim, upravo zbog činjenice da smo prijatelji, i da me razumeš bolje nego iko, postao sam znatno agresivniji. Takva je ljudski priroda."

Možda je ljudska priroda zaista takva.

Ali moramo se boriti protiv toga.

Postoje trenuci kad bismo silno želeli da pomognemo određenoj osobi, ali ne možemo da učinimo ništa. Ili nam okolnosti ne dozvoljavaju da se približimo, ili je osoba zatvorena za svaki gest solidarnosti i podrške.

Učitelj kaže:

Preostaje nam ljubav. U trenu kad je sve ostalo izlišno, još možemo voleti – ne očekujući nadoknade, promene, zahvalnosti.

Ako uspemo da se ponašamo na taj način, energija ljubavi počinje da preobražava svet oko nas. Kad se pojavi, ta energija uvek uspeva da ostvari svoj zadatak.

Pesnik Dž. Kits (1795–1821) daje jednu lepu definiciju poezije. Ako hoćemo, možemo je shvatiti i kao definiciju života: „Poezija mora da nas iznenadi svojim istančanim preterivanjem, a ne zato što je drugačija. Stihovi moraju da dirnu naše bližnje kao da su to njihove vlastite reči, kao da se onaj ko ih čita prisetio nečega što je, u tami vremena, već znao u svome srcu.

„Lepota jedne pesme ne leži u njenoj sposobnosti da zadovolji čitaoca. Poezija je uvek iznenađenje, kadro da nam na trenutak oduzme dah. Ona mora neprestano trajati u našim životima kao zalazak sunca: nešto što je u isto vreme i čudesno i prirodno."

Pre petnaest godina, u doba kad je duboko poricao veru, putnik je boravio u Rio de Žaneiru, sa svojom ženom i jednom prijateljicom. Malo su popili – kad im se pridruži jedan stari drugar s kojim su delili ludosti šezdesetih i sedamdesetih godina.

– Šta sada radiš? – upita ga putnik.

– Postao sam sveštenik – odgovori prijatelj.

Kad su izašli iz restorana, putnik pokaza na jedno dete koje je spavalo na stepeništu.

– Vidiš li kako se Isus brine za ovaj svet? – reče.

– Naravno da vidim – odgovori sveštenik. – On je i namestio ovo dete ispred tebe i postarao se da ga ti vidiš da bi mogao nešto da učiniš.

Jedna grupa jevrejskih mudraca okupila se da pokuša da stvori najkraći Ustav na svetu. Ukoliko – za vreme koje je čoveku potrebno da uspostavi ravnotežu stojeći na jednoj nozi – neko uspe da definiše zakone koji bi trebalo da upravljaju ljudskim ponašanjem, taj će biti smatran najvećim mudracem.

– Bog kažnjava zločince – reče jedan.

Drugi izneše primedbu da to nije zakon nego pretnja; izreka nije prihvaćena.

U tom času priđe im rabin Hilel. I, postavljajući se na jednu nogu, reče:

– Ne čini svojem bližnjem ono što ne bi želeo da drugi čine tebi; to je Zakon. Sve ostalo su samo pravna tumačenja.

I rabin Hilel beše proglašen za najvećeg mudraca svoga doba.

Pisac Dž. Bernard Šo primeti jedan ogroman kameni blok u kući svog prijatelja, vajara Dž. Epštajna.
– Šta ćeš da praviš od ove gromade? – upita Šo.
– Ne znam, još se premišljam – odgovori Epštajn.
Šo je bio iznenađen.
– Hoćeš da kažeš da planiraš svoju inspiraciju? Zar ne znaš da umetnik mora biti slobodan da promeni ideju kad god poželi?
– To važi za one koji, kad promene ideju, ne treba da rade ništa drugo već samo da zgužvaju list papira koji teži pet grama. Ali onaj ko se bori s kamenim blokom od četiri tone mora drugačije da razmišlja – glasio je Epštajnov odgovor.

Učitelj kaže:

Svako od nas zna koji je najbolji način da ostvari svoju zamisao. Samo onaj ko ima neki zadatak poznaje njegove teškoće.

Opat Žoao Mali pomisli: „Treba da budem jednak anđelima, koji ne rade ništa i žive posmatrajući Božju slavu". Te noći napusti manastir u Sketi i zaputi se u pustinju.

Nedelju dana kasnije vrati se u manastir. Brat portir čuo ga je kako lupa na kapiju i upitao ko je.

– Ja sam, opat Žoao – odgovori. – Gladan sam.

– Nemoguće – reče brat portir. – Opat Žoao je u pustinji, preobrazio se u anđela. Više ne oseća glad i ne mora da radi da bi se prehranio.

– Oprosti mi moju oholost – odgovori opat Žoao. – Anđeli pomažu ljudima. To je njihov posao, i zato posmatraju slavu Gospodnju. Ja mogu da posmatram tu istu slavu ukoliko budem obavljao svoj svakodnevni posao.

Začuvši reči skrušenosti, brat portir otvori kapiju manastira.

Od svih moćnih oružja za uništavanje koja je čovek bio u stanju da izmisli najstrašnije – i najstrašljivije – jeste reč.

Kame i vatreno oružje ostavljaju tragove krvi. Bombe ruše zgrade i ulice. Otrovi na kraju bivaju otkriveni.

Učitelj kaže:

Reč uspeva da uništi bez tragova. Roditelji godinama postavljaju uslove svojoj deci, muškarci trpe bespoštedne kritike, žene su sistematski izložene ubitačnim komentarima svojih muževa. Prave vernike drže po strani od religije oni koji sebe smatraju pozvanim da tumače reč Božju.

Pokušajte da ustanovite da li i vi koristite to oružje. Potrudite se da utvrdite da li drugi koriste to oružje protiv vas. I nemojte dozvoliti ni jedno ni drugo.

Vilijams pokušava da opiše jednu vrlo neobičnu situaciju:

„Zamislimo da je život savršen. Nalazite se u savršenom svetu, okruženi savršenim osobama, imate sve što želite, sa celim svetom ste u besprekornim odnosima, sve radite u pravo vreme. U tom svetu imate sve što želite, isključivo ono što želite, upravo onako kao što ste sanjali. I možete živeti koliko vam se prohte.

„Zamislite da posle sto ili dvesta godina sedite na nekoj besprekorno čistoj klupi, pred jednim veličanstvenim prizorom, i mislite: 'Kakva gnjavaža! Nedostaje uzbuđenje!'

„U tom trenutku primećujete jedno crveno dugme pred sobom, s natpisom: *Iznenađenje!*

„Pošto ste dobro promislili o svim značenjima te reči, hoćete li pritisnuti to dugme? Naravno! Tada ulazite u jedan crni tunel i izlazite u svet u kome živite u ovom trenutku."

Jedna pustinjska legenda priča o nekom čoveku koji je namerio da se preseli u drugu oazu i počeo da tovari svoju kamilu. Slagao je ćilime, kuhinjsko posuđe, kovčege s odećom – i kamila je sve podnosila. Kad se već spremao da krene, setio se jednog divnog plavog pera koje mu je otac poklonio.

Odluči da ga uzme i položi ga na kamilu. U tom trenutku životinja pade pod teretom i ugine.

„Moja kamila nije izdržala teret jednog pera", sigurno je pomislio čovek.

Ponekad mislimo to isto o našim bližnjima – ne shvatajući da naša šala može biti kap koja je prevršila čašu patnje.

Ponekad se ljudi naviknu na ono što vide u filmovima, i na kraju zaborave istinitu priču – kaže neko putniku dok ovaj posmatra luku u Majamiju. – Sećaš li se *Deset zapovesti*?

– Naravno. Mojsije, koga igra Čarlton Heston, u jednom trenutku podiže svoj štap. Vode se razdvoje i jevrejski narod prelazi preko mora.

– U *Svetom pismu* je drugačije – primećuje drugi. – Tamo Bog zapoveda Mojsiju: „Kaži sinovima Izrailjevim neka idu." I tek kad počnu da idu, Mojsije podigne štap i Crveno more se otvori.

„Jer samo hrabrost da se kroči na put čini da se put otkrije."

Iz jednog zapisa violončeliste Pabla Kazalsa:
„Ja se stalno iznova rađam. Svako novo jutro je trenutak da se ponovo započne život. Već osamdeset pet godina počinjem svoj dan na isti način – a to ne znači mehaničku rutinu, već nešto od suštinske važnosti za moju sreću.

„Budim se, prilazim klaviru, odsviram dva Bahova preludija i jednu fugu. Ti muzički komadi deluju na moju kuću kao blagoslov. Ali to je takođe i način da ponovo uspostavim kontakt s tajnom života, s čudom što pripadam ljudskom rodu.

„Iako to činim već osamdeset godina, muzika koju sviram nikad nije ista – ona me uvek nauči nečemu novom, čudesnom i neverovatnom."

Učitelj kaže:
S jedne strane znamo da je važno tragati za Bogom. S druge, život nas udaljava od Njega; osećamo se zapostavljeni od Božanstva, ili smo zaokupljeni našom svakodnevicom. To u nama izaziva osećanje krivice: ili smatramo da se previše odričemo života zarad Boga, ili nam se čini da se i suviše odričemo Boga radi života.

Ova prividna dvosmislenost puka je izmišljotina: Bog je u životu, a život je u Bogu. Dovoljno je biti toga svestan, pa bolje razumeti sudbinu. Ako uspemo da proniknemo u svetu harmoniju naše svakodnevice, bićemo uvek na pravom putu, i ispunićemo svoj zadatak.

Ovo su reči Pabla Pikasa:
„Bog je umetnik. On je izmislio žirafu, slona i mrava. On se, zapravo, nikad nije trudio da sledi određeni stil – jednostavno, činio je sve ono što mu se prohtelo da čini."

Učitelj kaže:

Kad počinjemo da savlađujemo svoj put, obuzima nas ogroman strah, osećamo se obaveznim da radimo sve „kako dolikuje". Uostalom, pošto svaki čovek ima jedan jedini život, ko je izmislio pravilo da sve mora da bude „kako dolikuje"? Bog je stvorio žirafu, slona i mrava – zašto onda moramo da sledimo neki obrazac?

Obrazac služi jedino da nam pokaže kako drugi određuju svoje vlastite stvarnosti. Često se divimo tuđim obrascima, a često možemo izbeći greške koje su drugi već učinili.

Ali što se života tiče – e pa, to je nešto za šta smo samo mi merodavni.

Jedna grupa pobožnih Jevreja molila se u sinagogi kad začuše neki dečji glas kako govori: A, B, C, D.
Pokušali su da se usredsrede na svete stihove, ali glas je ponavljao:
– A, B, C, D.
Malo-pomalo prestadoše da se mole. Kad su pogledali unazad, ugledaše nekog dečaka koji je i dalje govorio:
– A, B, C, D.
Rabin priđe mališanu.
– Zašto to radiš? – upita.
– Zato što ne znam svete stihove – odgovori dečak. – Ali se nadam da će, ako izgovorim abecedu, Bog uzeti ta slova i sastaviti prave reči.
– Hvala ti na ovoj pouci – reče rabin. – I hteo bih da mogu da pružim Bogu svoje dane na ovoj zemlji na isti način kao što mu ti pružaš svoja slova.

Učitelj kaže:
Duh Božji koji je prisutan u nama može se opisati kao bioskopsko platno. Preko njega prolaze različite situacije – ljudi vole, ljudi se rastaju, pronalaze skrivena blaga, otkrivaju daleke zemlje.

Nije važno koji se film prikazuje: platno ostaje uvek isto. Nije važno da li teku suze ili se proliva krv – jer ništa ne može da naruši belinu platna.

Isto kao i bioskopsko platno, Bog je tamo iza svake životne muke i zanosa. Svi ćemo Ga videti kad se naš film završi.

Neki strelac šetao po okolini jednog hinduističkog manastira, poznatog po strogosti obuke, kad ugleda monahe u dvorištu – kako piju i vesele se.

– Kako su bestidni oni koji traže Božji put – reče strelac naglas. – Kažu da je disciplina važna, a opijaju se u potaji!

– Ako odapneš stotinu strela jednu za drugom, šta će se desiti s tvojim lukom? – upita ga najstariji monah.

– Luk će mi se slomiti – odgovori strelac.

– Ako neko prekorači svoje granice, njegova volja se takođe lomi – reče monah. – Ko ne uspostavi ravnotežu između rada i odmora, gubi zanos i ne stiže daleko.

Jedan kralj poslao svog izaslanika u neku daleku zemlju da odnese ugovor o miru da se potpiše. Želeći da iskoristi putovanje, izaslanik saopšti tu činjenicu prijateljima koji su imali važna posla u toj zemlji. Oni zamoliše izaslanika da se zadrži nekoliko dana i – zbog mirovnog ugovora – napisaše nove naloge i promeniše strategiju svojih poslova.

Kad je izaslanik najzad otputovao, već je bilo kasno za ugovor koji je nosio; izbio je rat, uništivši kraljeve planove i poslove trgovaca koji su zadržali izaslanika.

Učitelj kaže:

Postoji samo jedan važna stvar u našim životima: živeti našu Ličnu Legendu, misiju koja nam je dosuđena. Ali uvek nas na kraju pretovare uzaludne brige, koje unište naše snove.

Putnik stoji u sidnejskoj luci i posmatra most koji spaja dva dela grada, kad mu prilazi jedan Australijanac i moli ga da pročita neki oglas u novinama.

– Slova su vrlo sitna – kaže pridošlica. – Ne uspevam da ih razaznam, a zaboravio sam naočare kod kuće. Putnik takođe nije poneo sa sobom naočare za čitanje. Izvinjava se čoveku.

– Onda je bolje da zaboravim na oglas – kaže ovaj posle kraće pauze. I, pošto želi da nastavi razgovor, primećuje:

– Nismo u pitanju samo nas dvojica. I Bogu su, takođe, oči umorne. Ali ne zato što je star, već zato što je tako izabrao. Na taj način, kada neko ko mu je blizak učini nešto pogrešno, on ne uspeva dobro da vidi i oprašta toj osobi – iz straha da ne ispadne nepravedan.

– A kad je reč o dobrim stvarima? – pita putnik.

– E pa, Bog nikad ne zaboravlja naočare kod kuće – nasmeja se Australijanac i udalji se.

– Ima li ičeg važnijeg od molitve? – upita učenik učitelja. Učitelj zatraži od učenika da ode do obližnjeg šipraga i odseče jednu granu. Učenik ga posluša.
– Je li drvo i dalje živo? – upita učitelj.
– Jednako živo kao i pre – odgovori učenik.
– Onda otidi tamo i poseci koren – zatraži učitelj.
– Ako to učinim, drvo će umreti – reče učenik.
– Molitve su grane jednog drveta čiji se koren zove vera – reče učitelj. – Može postojati vera bez molitve, ali ne može postojati molitva bez vere.

Sveta Tereza Avilska je napisala:

„Ne zaboravite: Gospod je pozvao sve nas i – pošto je On čista isitna – ne možemo sumnjati u taj poziv. On je kazao: 'Neka mi priđu oni koji su žedni i ja ću im dati da piju'.

„Da se poziv nije odnosio na svakoga od nas, Gospod bi rekao: 'Neka mi priđu svi koji to žele jer nemaju šta da izgube. Ali ja ću dati da piju samo onima koji su za to spremni'.

„On nije nametao nikakve uslove. Dovoljno je hodati i želeti, i svi će primiti Živu Vodu njegove ljubavi."

Kad hoće da meditiraju, zen monasi sednu ispred neke stene: „Sada ću da čekam da ova stena malo poraste", misle.

Učitelj kaže:

Sve oko nas neprestano se menja. Svakoga dana sunce obasjava jedan novi svet. Ono što nazivamo rutinom puno je novih predloga i prilika. Ali mi ne shvatamo da je svaki dan drugačiji od prethodnog dana.

Na nekom mestu, neko blago te čeka. Može to biti jedva primetan osmejak, a može biti i veliki dobitak – nije važno. Život je sazdan od malih i velikih čuda. Ništa nije jednolično jer se sve neprekidno menja. Dosada nije u svetu već u načinu na koji posmatramo svet.

Kao što je pisao pesnik T. S. Eliot:

> „Proći mnoge puteve,
> vratiti se kući
> i gledati sve kao da je prvi put."

O piscu

Paulo Koeljo se smatra najuticajnijim savremenim piscem. Njegova dela prodata su širom sveta u tiražu od preko 165 miliona primeraka, objavljena u 170 zemalja i prevedena na preko 80 jezika.

Rođen u Rio de Žaneiru (Brazil) 1947. godine, Paulo Koeljo je autor nekoliko naslova koji spadaju u najčitanije knjige našeg vremena. Među njima su *Dnevnik jednog čarobnjaka* i *Alhemičar*, koji su ga i učinili svetski poznatim. Naravno, Paulo Koeljo je napisao mnoge druge knjige koje su dirnule srca ljudi širom sveta – *Brida, Veronika je odlučila da umre, Jedanaest minuta, Alef* ili *Rukopis otkriven u Akri*.

Dobitnik je brojnih prestižnih međunarodnih priznanja. Izabran je za člana Brazilske književne akademije 2000. godine, a od 2007. godine je ambasador mira Ujedinjenih nacija. Godine 2009. dodeljeno mu je priznanje Ginisove knjige rekorda za naveći broj prevoda (53) jednog romana (*Alhemičar*). Takođe, on je i autor koga prati najviše ljudi na društvenim mrežama.

Paulo Koeljo
MAKTUB

Za izdavača
Dejan Papić

Urednik
Dejan Mihailović

Lektura i korektura
Milan Gligorijević

Slog i prelom
Saša Dimitrijević

Štampa i povez
Rotografika, Subotica

Izdavač
Laguna, Beograd
Resavska 33
Klub čitalaca: 011/3341-711
www.laguna.rs
e-mail: info@laguna.rs

CIP – Katalogizacija u publikaciji
Narodna biblioteka Srbije, Beograd

КОЕЉО, Пауло, 1947-
Maktub / Paulo Koeljo ; prevela s portugalskog Jasmina Nešković. - Beograd : Laguna, 2015 (Subotica : Rotografika). - 198 str. ; 21 cm

Prevod dela: Maktub / Paulo Coelho. - O piscu: str. [199]. - Od istog pisca: str. 2.

ISBN 978-86-521-2010-9

821.134.3(81)-36

COBISS.SR-ID 216831756